VLA
FLV
VIVS

Thank you, dr Baskroe, for a
great hospitality and kindness.
Exellent work, and a very good
atmosphere I saw here, in your
Departament - is unforgotable.

Andrzej Wiernikowski M.D.
Warsaw - Poland.

9. Nov. 1992.

Stare Miasto
i Zamek Królewski
w Warszawie

Stare Miasto i Zamek Królewski · *Jan Zachwatowicz*

Odbudowa Starego Miasta · *Piotr Biegański*

Dzieje Zamku Królewskiego · *Stanisław Lorentz*

Odbudowa Zamku Królewskiego · *Aleksander Gieysztor*

Stare Miasto i Zamek Królewski w Warszawie

Arkady

Redaktor · *Bożena Wierzbicka*
Opracowanie graficzne · *Stefan Bernaciński*
Redaktor techniczny · *Bogumiła Sajek*
Korektor · *Maria Witczak*

s. I obwoluty – Widok na Zamek Królewski z ul. Świętojańskiej
s. IV obwoluty – Widok na Barbakan od strony ul. Podwale

Wyklejka I – Widok Warszawy w końcu XVI w.
Wyklejka II – Widok Warszawy Zygmunta Vogla z końca XVIII w.

Arkady – Warszawa 1988
Wydanie 2 poprawione i uzupełnione. Nakład 70 000 egz.
Skład wykonano w Zakładach Wklęsłodrukowych RSW „P-K-R"
Druk i oprawę wykonano w Jugosławii na zlecenie CHZ „Ars Polona"
Symbol 21867/RA/Be. P-44

ISBN 83-213-3337-0

Zamek Królewski w Warszawie jest dla nas symbolem Narodu i Państwa, walk o niepodległość i oporu przeciw hitlerowskiemu najeźdźcy. Właśnie dla tej symbolicznej wymowy Hitler kazał zrównać z ziemią dawną siedzibę królów polskich. Odbudowa Zamku jest problemem ogólnonarodowym, zespalającym wszystkich Polaków. Kiedy wróg niszczył Zamek, staraliśmy się ocalić zeń wszystko, co było można – byliśmy bowiem pewni, że zwyciężymy i Zamek odbudujemy.

W tamtych straszliwych jesiennych miesiącach 1939 roku zrodziła się myśl odbudowy – dziś spełniamy wolę tych, którzy z narażeniem życia walczyli o polskie dobra kultury.

Ostatni dramatyczny i bohaterski rozdział w dziejach Zamku to jego odbudowa staraniem Polaków z całego świata. Nadaje ona Zamkowi Królewskiemu w Warszawie wymowę nowego symbolu. Chcemy, aby wskrzeszony Zamek był Pomnikiem Historii i Kultury Narodowej, aby tu miały miejsce uroczyste akty państwowe i narodowe, szczególnie ważne zebrania naukowe i kulturalne oraz uroczyste zjazdy Polonii zagranicznej, uzmysławiające, że wszyscy Polacy, żyjący w kraju i rozsiani na różnych kontynentach, tworzą jeden Naród, przywiązany do swych tradycji historycznych i miłujący Ojczyznę.

Stanisław Lorentz

Stare Miasto i Zamek Królewski

Jan Zachwatowicz

Najwcześniejsze osadnictwo na obszarze obecnej Warszawy, ujawnione w badaniach archeologicznych, sięga okresu kultury łużyckiej. Już we wczesnym Średniowieczu (X i XI wiek) liczba osad jest znaczna, przy czym osady te są lokowane na niższym, prawym brzegu Wisły lub w niżej położonych częściach brzegu lewego. W XIII wieku szczególnego znaczenia nabiera osada położona przy przeprawie przez Wisłę – Jazdów, znany już jako gród warowny.

Dopiero w końcu XIII wieku powstaje osada i gród na wysokim lewym brzegu Wisły, w miejscu obecnego Starego Miasta i Zamku. Teren ten, wyniesiony ponad rzekę do wysokości około 26 metrów, opadał ku rzece stromą skarpą. Od północy i od południa przecięty był głębokimi wąwozami, które stały się naturalnymi granicami grodu i osady.

Gród powstał jako kasztelański na przełomie XIII i XIV wieku, założony przez księcia mazowieckiego, a w XIV wieku stał się grodem książęcym. Był on położony w południowej części obszaru nowego osadnictwa, w bezpośrednim sąsiedztwie osady miejskiej. Na początku XIV wieku miasto i gród otoczone były wałem drewniano-ziemnym z dwiema bramami: Dworzańską (później Krakowską) od południa i Łaziebną (później Nowomiejską) od północy. Obwarowania te miały kształt półelipsy opierającej się z dwu stron o wysoką skarpę wiślaną, która stanowiła naturalne zabezpieczenie obronne. Cały zespół zajmował obszar długości około 460 metrów oraz 250 metrów szerokości, przy czym miasto zajmowało około 9 hektarów. Miasto zostało założone na układzie prostokątnym z ulicami wychodzącymi z narożników Rynku. Zsunięty nieco ku północy Rynek miał wymiary około 95 x 73 metry. Bloki pomiędzy ulicami podzielone były na

1. Pierwszy zachowany widok Warszawy w „Constitucie Seymu Walnego Warszawskiego... A.D. 1581"

regularne działki. Było ich około 150, co pozwala ocenić liczbę ludności na około 2000 mieszkańców.

W latach trzydziestych XIV wieku miasto już zabudowane i ufortyfikowane tętniło życiem. W latach 1338–1339 odbył się w Warszawie słynny proces z zakonem krzyżackim. Na Rynku powstał murowany ratusz, wznoszono murowane kamienice. W obrębie obwarowań wybudowano murowane bramy. W drugiej połowie XIV wieku wał drewniano-ziemny zastąpiono murem obronnym, który biegł również od strony wschodniej nad Wisłą. Mur miał dwanaście prostokątnych baszt, dwie bramy i dwie furty od Wisły. W północno-wschodnim narożniku wzniesiono wysoką murowaną wieżę (zwaną później Marszałkowską). Obwarowania miasta w części południowej łączyły się z murami Zamku, gdzie powstał wówczas dom książęcy – Curia Maior, z wcześniejszą narożną, dominującą Wieżą Grodzką.

Na terenie miasta wzniesiono w XIV wieku dwa kościoły: parafialny św. Jana oraz augustianów św. Marcina z klasztorem. W XV wieku na północ od Starego Miasta rozwinęła się duża osada miejska – Nowe Miasto z obszernym prostokątnym

2. Fragment widoku Warszawy Christiana Melicha (?) ok. 1630 r.

3. Fragment widoku Warszawy Erika Dahlberga z 1656 r.

URBS WARSOVIA
Sedes Ordinaria Regum
Poloniæ ea facie exhibita qua con
spiciebatur postquam amisso prælio
à Ser. R. Poloniæ deserta et à S.R.M.
Sueciæ secunda vice occupata
fuit d. 22. Iul. An. 1656.
Templum Bernhar
dinorum
Suburbia excusta
Regis Sigismun
di Statua
Templum Monialium
S. Claræ
Arx Regia
Templum
Augustin:
Temp: S. Iohannis
Templum et Colleg:
Iesuitarum
Curi
Mons Fimi
Palat: Principis
Caroli Ferdinandi
A F L U

4. Fragment widoku Warszawy Bernarda Belotta zw. Canaletto z 1770 r.

rynkiem. Nie była ona otoczona obwarowaniami. Na południe od Starego Miasta powstaje klasztor bernardynów z kościołem św. Anny. Na początku XV wieku podjęto budowę drugiej linii murów obronnych otaczających Stare Miasto. Mury te, wysunięte przed czternastowieczne obwarowania, zaopatrzone były w jedenaście półokrągłych baszt. Bramy miejskie uzyskały wysunięte prostokątne przedbramia. Działki zabudowywano murowanymi kamienicami mieszczańskimi o ostrołukowych blendowanych wnękach w elewacjach oraz ostrołukowych portalach, niekiedy z barwnej glazurowanej cegły. Blendowane i schodkowe musiały być szczyty kamienic, lecz ich ukształtowanie, w wyniku późniejszych przeróbek elewacji, nie jest znane. We wnętrzach, w sieniach i izbach na piętrach stosowano wnęki w ścianach. Stwierdzono, że wnętrza dekorowano polichromią.
Na początku XVI wieku zbudowano nową, dodatkową bramę, zwaną Poboczną, zwieńczoną attyką. Przed Bramą Nowomiejską zbudowano gotycki dwuarkadowy most obronny z basztami na trompach, zakończony barbakanem zwieńczonym

attyką. Podobny most prowadził do Bramy Krakowskiej. Rozbudowano również staromiejski ratusz. Wiek XVI przynosi zmiany, które w zasadniczy sposób zaważyły na losie Warszawy. W 1526 roku po śmierci ostatniego księcia mazowieckiego Zamek przechodzi we władanie królewskie. Król Zygmunt August podejmuje na Zamku prace budowlane, dodając do dawnego gmachu Curia Maior nowy dwór, połączony z gotyckim budynkiem Curia Minor. Z tego okresu pochodzą sale o jednym, dwóch i trzech słupach.

Od 1569 roku Zamek, już wówczas Królewski, staje się siedzibą władzy ustawodawczej – Sejmu Rzeczypospolitej. Wkrótce w pobliżu Starego Miasta i Zamku powstają rezydencje magnatów i szlachty – wspaniałe pałace z ogrodami – oraz domy licznie napływających do Warszawy kupców i rzemieślników. Tworzą się nowe osady, nazywane jurydykami, rządzące się niezależnie od władz miejskich Starej Warszawy. Zmienia się istotnie proporcja między zabudową Starego Miasta, gdzie jest 160 domów, a zabudową przedmieść, na których jest 500 domów.

Król Zygmunt III Waza w 1596 roku ustalił ostatecznie stołeczny charakter Warszawy i przystąpił do przebudowy Zamku. Prace trwały przez wiele lat i były kontynuowane przez króla Władysława IV w trzydziestych latach XVII wieku. Miasto szybko rozrastało się terytorialnie. W latach 1621–1624 powstała nowa linia obwarowań bastionowych, otaczających główną część miasta z jego pałacami, domami i klasztorami, lecz nowe osady i jurydyki tworzyły się poza tą linią obwarowań. W Rynku Starego Miasta powstają kamienice o wczesnobarokowych elewacjach. W czasie wojen szwedzkich Warszawa i jej Stare Miasto zostały w dużym stopniu zniszczone. Ucierpiał również Zamek Królewski, uszkodzony i rozgrabiony.

Po wojnie odbudowano rezydencje i Stare Miasto, wprowadzając przy tym nowe elewacje w wielu kamienicach. Prace przy Zamku zostały wykonane dopiero w siedemdziesiątych latach XVII wieku za króla Jana III Sobieskiego. W początku XVIII wieku powstaje pod Zamkiem, od południa, pałac Pod Blachą. W 1703 roku Warszawa znowu została zajęta przez Szwedów, a Zamek spustoszony. Król August II korzystał tylko z części pomieszczeń zamkowych. Zlecił opracowywanie projektów nowej rezydencji królewskiej w miejscu dawnego dworu Morsztynów. Jednocześnie na Zamku dokonywane były przeróbki. Prace przerwał pożar Zamku w 1732 roku. August III podjął myśl gruntownej przebudowy Zamku; warianty projektów sporządzili architekci sascy. Roboty budowlane prowadzono w latach 1741–1746. Dalsze przekształcenia Zamku, podjęte z inicjatywy króla Stanisława Augusta, prowadzili w latach 1763–1788 Jakub Fontana, Jan Chrystian Kamsetzer i Dominik Merlini. Powstały wówczas wspaniałe wnętrza sal stanisławowskich wypełnione dziełami sztuki i Biblioteka Królewska, umieszczona nad skrzydłem północnym pałacu Pod Blachą.

Z utratą niepodległości rozpoczęły się długie i dramatyczne dzieje Zamku. Prusacy wywieźli znaczną część jego wyposażenia. Rozpoczęły się przeróbki wnętrz. W 1817 roku przystąpiono do rozbiórki zabudowy dziedzińca przed Zamkiem od

5. Widok Warszawy Zygmunta Vogla z końca XVIII w.

ulicy Grodzkiej, łącznie z Bramą Krakowską. Przed Zamkiem od zachodu powstał plac. W tym samym roku rozebrano ratusz na Starym Mieście. Stare Miasto utraciło też ostatecznie swe znaczenie, stając się niewielką dzielnicą mieszkaniową. Zmienił się także skład ludnościowy Starego Miasta. Siedziby rodów patrycjuszowskich zajęła uboga ludność, gnieżdżąca się w coraz intensywniej zabudowanych blokach staromiejskich, które wchłonęły pozostałości dawnych obwarowań.
Po powstaniu listopadowym, od 1832 roku, rozpoczęło się wywożenie do Rosji zbiorów zamkowych. Zamek stał się siedzibą rosyjskich generał-gubernatorów. Mieściły się też w nim koszary. W tym okresie uległo zmianie bezpośrednie otoczenie Zamku. Po zburzeniu w 1843 roku kościoła i klasztoru bernardynek wybudowano zjazd z placu Zamkowego do mostu, wzniesionego w 1864 roku przez inżyniera Stanisława Kierbedzia. Na Starym Mieście utworzono nowy placyk – Zapiecek – na miejscu kamienicy, która zawaliła się. Zbudowano również jatki i sklepy przy zbiegu ulic Nowomiejskiej i Podwala. W Rynku ustawiono dwie żeliwne studnie i rzeźbę Syreny. Cały Rynek zapełniony był straganami. Po zajęciu Warszawy przez Niemców w 1915 roku grupa polskich architektów pod kierun-

6. *Widok na Nowe Miasto w Warszawie Wojciecha Gersona z 2. poł. XIX w.*

kiem Kazimierza Skórewicza uzyskała możliwość prowadzenia prac inwentaryzacyjnych, a w 1917 roku – wykonania drobnych prac remontowych. Po zakończeniu pierwszej wojny światowej podjęto gruntowne prace konserwatorskie, zmierzające do przywrócenia dawnego wyglądu wnętrz i elewacji Zamku Królewskiego.
Prace te trwały przez cały okres międzywojenny. Do roku 1928 prowadzili je architekt Kazimierz Skórewicz, a po nim – architekt Adolf Szyszko-Bohusz. Skórewicz przeprowadził najbardziej gruntowne prace zarówno wewnątrz, jak i zewnątrz Zamku. Wydobył wnętrza sal wazowskich oraz przeprowadził konserwację sal stanisławowskich. Z elewacji usunął pilastry i attykę oraz przywrócił dawny dach dachówkowy. Przeprowadzono również naprawę hełmów oraz przykryto Wieżę Grodzką dachem namiotowym. W dziedzińcu zamkowym odsłonięta została, zachowana do wysokości drugiego piętra, ściana gotycka Dworu Większego.

Adolf Szyszko-Bohusz wprowdził wiele zmian. Wymienił pokrycie z dachówki na blachę miedzianą. Zniósł dach nad Wieżą Grodzką, zastępując go nadbudową z tarasem i balustradą. Rozebrał oficynę przy Wieży Grodzkiej. W północnym

7. Fragment zabudowy Nowego Miasta w Warszawie, wg Władysława Podkowińskiego, z końca XIX w.

skrzydle wprowadził galerię zakończoną schodami. U podnóża Zamku zbudował budynki koszarowe. W tym czasie wykonano nową żelbetową konstrukcję dachów oraz odpowiednie zabezpieczenie stropów górnej kondygnacji.

Również na Starym Mieście podjęto w tym okresie prace zmierzające do wydobycia i przywrócenia mu dawnej świetności. Wiele kamienic, po wykupieniu ich przez instytucje lub osoby prywatne, poddano pracom restauratorskim. Zarząd miejski wykupił trzy kamienice w północnej pierzei Rynku, przeznaczając je na Muzeum Dawnej Warszawy. Odkryto w tych kamienicach renesansowe i barokowe stropy, kasetonowe i polichromowane, różnych typów. W 1928 roku odnowiono wszystkie pierzeje Rynku z wprowadzeniem bogatej dekoracji barwnej. Usunięto wówczas z Rynku studnie i rzeźbę Syreny.

W latach 1936–1938 odsłonięto mury obronne na odcinku od ulicy Nowomiejskiej do Wąskiego Dunaju. Część murów zachowana była do pełnej wysokości. Ujawniono również nie znany wcześniej most gotycki pod ulicą Nowomiejską. Na teren międzymurza oraz fosy wprowadzono zieleń, tak potrzebną Staremu Miastu.

Nadszedł wrzesień 1939 roku. Najazd hitlerowskich Niemiec na Polskę szybko dotarł do Warszawy. W wyniku oblężenia stolicy, bombardowania lotniczego i artyleryjskiego uległy zburzeniu i spaleniu całe dzielnice miasta, w tym również wiele cennych zabytków. Spłonęły dachy i hełmy Zamku, zapadł się strop nad Salą Balową. Ludność, pracownicy miejscy i Muzeum Narodowego gasili pożar i ratowali zbiory zamkowe. Od pocisków zapalił się i spłonął również dach nad katedrą oraz kamienica przy ulicy Jezuickiej. Bomba lotnicza zburzyła dom narożny przy Wąskim Dunaju.

Po wkroczeniu Niemców do Warszawy w początku listopada zapadła, znana z dziennika gubernatora Hansa Franka, decyzja o zburzeniu Zamku i nieodbudowywaniu Warszawy. Rozpoczął się następny akt niszczenia Zamku. Wywieziono jego wyposażenie, a następnie przystąpiono do systematycznego demontażu i założono ładunki do wysadzenia Zamku. W tym okresie pracownicy Muzeum Narodowego ratowali z Zamku fragmenty jego architektonicznego wyposażenia, boazerii, kominków, rzeźb itp. Wywieziono między innymi cały portal Bramy Grodzkiej. Ocalono w ten sposób znaczną liczbę fragmentów, tak istotnych dla odbudowy Zamku. W okresie powstania zniszczenia Warszawy były ogromne. Stare Miasto, nieustannie bombardowane, legło w gruzach. Pozostałe zaś mury katedry i innych kościołów wysadzono już po powstaniu. Dnia 27 listopada 1944 roku wysadzono mury Zamku. Wypalenie miasta i zniszczenie budynków, w tym bardzo cennych zabytków, było konsekwentnie i systematycznie realizowane na obszarze całej Warszawy, z której usunięto wszystkich mieszkańców. Niektórych obiektów, przygotowanych do wysadzenia (np. Teatr Wielki, pałac w Łazienkach), hitlerowcy nie zdążyli zburzyć.

Barbarzyńskie zniszczenie Stolicy było jednym z działań zmierzających do pozbawienia narodu polskiego dorobku jego kultury. Walka ludności Warszawy o ratowanie tego dorobku trwała przez cały okres okupacji hitlerowskiej. Po wyzwoleniu

PRO

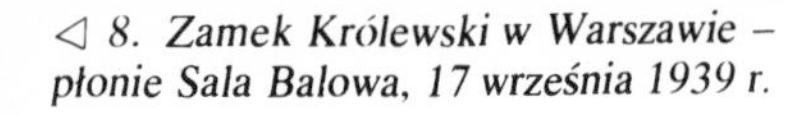

◁ *8. Zamek Królewski w Warszawie – płonie Sala Balowa, 17 września 1939 r.*

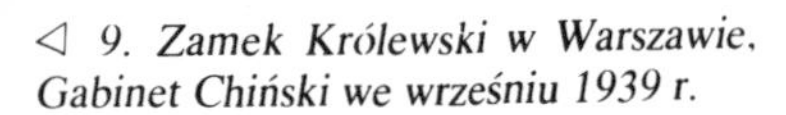

◁ *9. Zamek Królewski w Warszawie, Gabinet Chiński we wrześniu 1939 r.*

10. Rynek Starego Miasta w Warszawie, Strona Barssa w 1945 r.

gorącym pragnieniem społeczeństwa było nie tylko zachowanie tego, co jeszcze pozostało, lecz przywrócenie dawnej formy zniszczonym obiektom. Odbudowa zabytków Warszawy, niezależnie od stopnia zachowania, stała się koniecznością historyczną, polityczną, emocjonalną i moralną. Zgodnie z wolą narodu i decyzją władz Polski Ludowej architekci-konserwatorzy podjęli ogromne dzieło odbudowy całych zespołów zabytkowych, restytuując je z maksymalną precyzją, zachowując z pietyzmem każdy ocalały lub odnaleziony w gruncie fragment autentyczny. W ten sposób odbudowano Stare i Nowe Miasto oraz przyległe rejony, Krakowskie Przedmieście i Nowy Świat. Konieczność odbudowy Zamku została stwierdzona w 1949 roku uchwałą sejmową, lecz realizacja, głównie ze względów ekonomicznych, była odkładana. Decyzja o podjęciu odbudowy zapadła w styczniu 1971 roku. Bryła Zamku dopełniła odtworzony z pietyzmem obraz historycznie ukształtowanej Warszawy, w którym Zamek ma znaczenie symbolu państwowości Polski. Skala i zakres odbudowy zabytków Warszawy wykraczają poza założenia i postulaty konserwatorstwa, wysuwające na pierwszy plan sprawę autentyzmu zabytków. Zniszczenie Warszawy nie było jednak procesem naturalnym, lecz aktem świadomego barbarzyństwa. Dlatego możemy odstąpić od założeń, które w każdym innym wypadku w pełni respektujemy. Tak też należy rozumieć odbudowę zabytków Warszawy, która jest wyrazem gorącej woli społeczeństwa i skoncentrowanego wysiłku wykonawców.

11. Katedra na Starym Mieście w Warszawie w 1945 r.

Odbudowa Starego Miasta

Piotr Biegański

Warszawa w obwodzie murów średniowiecznych stała się zaczątkiem wielkiej aglomeracji współczesnej. Dzielnice historyczne stanowią dziś integralną część Wielkiej Warszawy. Stare Miasto wraz z Zamkiem Królewskim jest więc jednym z elementów przestrzennego układu Stolicy, jest także obiektem kultury narodowej, który naród otacza szczególną opieką.

Stare Miasto i Zamek Królewski nigdy w swej historii nie uległy tak wielkiej katastrofie, jak w latach drugiej wojny światowej. Zawziętość i premedytacja, z jaką hitlerowcy dokonywali dzieła zniszczenia serca Warszawy, nie są znane w historii cywilizowanego świata. Program totalnej zagłady wszystkiego, co mogło świadczyć o kulturze narodu polskiego, nie mieścił się w wyobraźni ludzkiej. Stan,w jakim władze polskie zastały Warszawę po wyzwoleniu w 1945 roku, przedstawiał obraz tak tragiczny, że tylko w najbardziej śmiałych umysłach mogła zrodzić się idea przywrócenia życia milionowemu miastu.

Decyzja odbudowy Warszawy i jej historycznych dzielnic została podjęta już w pierwszych dniach po oswobodzeniu. Pomimo gruzów zalegających cały obszar staromiejski (w wielu miejscach do wysokości drugiej kondygnacji domów) oraz niezwykłych trudności i niebezpieczeństwa poruszania się wśród spękanych i rozpadających się murów, wraz z pierwszymi promieniami wiosennego słońca wkroczyły na Stare Miasto ochotnicze ekipy i podjęły trud ratowania resztek historycznej zabudowy.

Bardzo szybko przekonano się, iż pomimo zbombardowania i spalenia miasta szczęśliwie zachowało się wiele elementów zabudowy staromiejskich kamieniczek, a w gruzach – tysiące fragmentów ich wyposażenia architektonicznego. Fakt ten pozwolił na podjęcie dwóch jednoczesnych akcji. Jedna polegała na jak najszybszym zabezpieczeniu ścian budynków, które ostały się mimo zniszczeń, druga – na rejestracji reliktów znajdujących się w gruzach oraz kwerendzie materiałów inwentaryzacyjnych, archiwalnych i ikonograficznych, rozproszonych na obszarze całego kraju.

Prace te z miesiąca na miesiąc i z dnia na dzień przybliżały moment, kiedy można było rozpocząć projekt odbudowy Starego Miasta i bezpośrednio otaczających go dzielnic historycznych. Nie było to zadanie proste. Już w pierwszych szkicach studialnych okazało się, że problemy konserwatorskie zespołów historycznych muszą być rozważane przy uwzględnieniu współczesnych kryteriów urbanistycz-

nych, na których oparto projekty odbudowy i rozbudowy całej Stolicy. W konsekwencji tych założeń współczesna problematyka urbanistyczna, przeniesiona na obszary układów zabytkowych, postawiła realizatorów odbudowy ośrodka historycznego przed koniecznością rozstrzygnięcia wielu takich zagadnień, z którymi przed wojną nie spotkali się konserwatorzy zabytków.
Na tym tle i w imię prawdy historycznej podjęto długie i mozolne badania, mające na celu nie tylko znalezienie najbardziej prawidłowego kształtu zespołu staromiejskiego, ale zmierzające przede wszystkim do takiej rekonstrukcji, która z jednej strony uszanowałaby wszystkie nawarstwienia historyczne, a z drugiej – stworzyła warunki zagospodarowania przestrzennego odpowiadające wymaganiom współczesnych architektów. W tej sytuacji nowoczesne tendencje urbanistyczne i postulaty konserwatorskie, wynikające z historycznego procesu ukształtowania przestrzennego dawnej Warszawy, wymagały przeanalizowania i zintegrowania.
Już z pierwszych koncepcji planu generalnego Warszawy wynikało, że najstarsze dzielnice historyczne – Stare i Nowe Miasto – przeznaczone zostały na dzielnice mieszkaniowe, z zachowaniem ich znaczenia turystycznego. Pociągało to za sobą potrzebę uwzględnienia w programie odbudowy wielu nowoczesnych postulatów, które w przedwojennych warunkach w ogóle nie występowały, jak na przykład wyposażenie w podstawowe usługi. Jednocześnie stało się sprawą oczywistą, że zakres rekonstrukcji nie mógł ograniczyć się tylko do jednej wybranej epoki historycznej, lecz przeciwnie – należało dążyć do wydobycia wszystkich wartościowych faz kolejno po sobie następujących, a będących świadectwem życiowych i twórczych tendencji urbanistycznych na przestrzeni dziejów. Tak postawione zadania, przed którymi stanęli konserwatorzy, architekci i urbaniści, nakładały obowiązek przekazania następnym pokoleniom nie tylko najbardziej wartościowych i najstarszych obiektów historycznych, ale także tych, które stanowiły świadectwo przemian społecznych, politycznych, gospodarczych i artystycznych.
Trudność przedsięwzięcia, początkowo zdawałoby się niewykonalnego, polegała na braku praktycznych doświadczeń w realizowaniu zadania o tak rozległej specyficznej problematyce, jakim była rekonstrukcja pomnika historycznego na skalę miasta. Teoretyczne wiadomości, a nawet zebrany olbrzymi materiał archiwalny, ikonograficzny i inwentaryzacyjny, nie były wystarczające do podejmowania trudnych decyzji. Dopiero wnikliwe badania zachowanych budynków lub ich fragmentów, systematycznie prowadzone w ciągu pierwszych lat po zakończeniu wojny, pozwoliły na rozstrzygnięcie wielu podstawowych wątpliwości i na opracowanie wytycznych konserwatorskich dla odbudowy całości staromiejskiego założenia. Dotyczyły one nie tylko zagadnień konserwatorskich czy też techniczno-budowlanych, ale przede wszystkim tych problemów, od których należało uzależnić wszelkie decyzje przestrzennego zagospodarowania Starego i Nowego Miasta.
Jedną z najistotniejszych spraw przy ustalaniu kierunku prac konserwatorskich było dokonanie wyboru kryteriów, według których miały być prowadzone roboty realizacyjne. Dotyczyło to zwłaszcza tych wypadków, kiedy w zachowanych

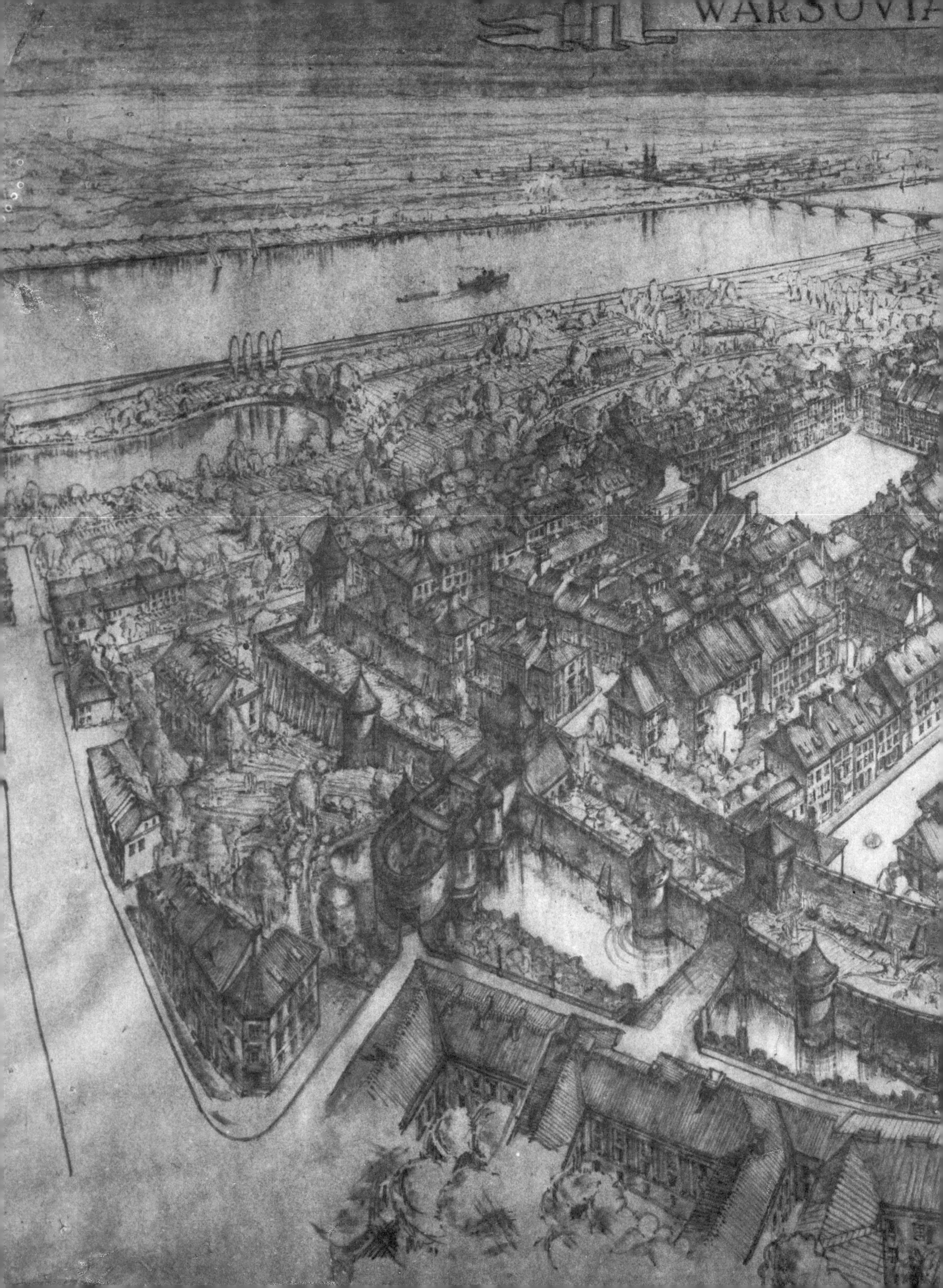
WARSOVIA

12. Studium perspektywiczne projektu rekonstrukcji Starego Miasta w Warszawie z 1951 r.

partiach obiektu występowało kilka historycznych faz i kiedy każda z tych faz ze względu na swoją wartość artystyczną zasługiwała na zachowanie. Mało kto bowiem przypuszczał, że pod fragmentami barokowymi tynków elewacji wielu domów ocalały w wielu miejscach mury domów gotyckich, i że na murach tych w niektórych miejscach zachowały się elementy sztuki dekoracyjnej w postaci fresków z tejże epoki. Szczegółowa inwentaryzacja przeprowadzona po odgruzowaniu Starego Miasta dowiodła, że średniowieczny układ tego zespołu zachował się w znacznym procencie. Ujawnione bowiem zostały nie tylko wspaniałe piwnice, fragmenty elewacji, mury szczytowe wielu domów, ale także prawie cały średniowieczny system obronny wraz z basztami, krenelażami, resztkami bram z barbakanem i mostem nad fosą przed dawniej istniejącą Bramą Krakowską.

Fakty te stały się główną przesłanką decyzji, iż rekonstrukcja zespołu Starego Miasta powinna w zasadzie opierać się na średniowiecznym systemie zabudowy, zwłaszcza iż system ten w największym stopniu umożliwiał zrealizowanie postulatów nowoczesnej urbanistyki. Pozwoliło to na odrzucenie późnodziewiętnastowiecznej zabudowy wewnątrz bloków staromiejskich, której fragmenty – jeśli nawet pozostały po bombardowaniu – nie przedstawiały żadnej wartości technicznej. W efekcie, na miejscu ruder i zwałów gruzu zjawiły się obszerne dziedzińce, przypominające najstarsze formy zabudowy bloków staromiejskich.

Badania pozostałych murów kamienic pozwoliły również na ujawnienie kilku zapomnianych w XIX wieku przejść-uliczek, które – jak się okazało – można było przywrócić bez żadnych trudności. Przyjęcie planu gotyckiego za podstawę rozwiązania urbanistycznego odpowiadało więc nie tylko postulatom konserwatorskim, ale także bez trudności pozwalało podporządkować się wymaganiom współcześnie rozwiązywanego osiedla mieszkaniowego.

Nie wyczerpało to jednak problemów ukształtowania dzielnicy staromiejskiej pod względem przestrzennym. Zagadnienie trzeciego wymiaru przy przyjęciu koncepcji planu średniowiecznego, zagadnienie kształtu architektonicznego kamienicy mieszczańskiej, ulicy, placu i wreszcie sylwety całego miasta okazały się bez porównania trudniejsze do rozwiązania, niż pozornie wydawać by się mogło.

Zapewne byłoby najbardziej konsekwentne, gdyby w ślad za przyjętym planem staromiejskiej dzielnicy również i zabudowa w obrębie murów obronnych zmierzała do przywrócenia gotyckiego charakteru form budowlanych, a co za tym idzie – do gotyckiej sylwety miasta. Tymczasem ani liczba zachowanych reliktów średniowiecznych, ani materiał ikonograficzny nie upoważniały do podjęcia rekonstrukcji Starego Miasta w konwencji gotyckiej. Pozostawała zatem tylko możliwość oparcia się na przekazach i reliktach pochodzących z XVII i XVIII wieku, czyli z okresu, kiedy większość mieszczan warszawskich „unowocześniała" swoje kamienice. W ten sposób na planie średniowiecznym wyrosło nowe, barokowe, a fragmentarycznie późnorenesansowe miasto. Wyrosły nowe obiekty sakralne, zjawiły się hełmy barokowe na wieżach i zaczęły dominować nad dosyć jednolitym typem trójtraktowej zabudowy, zwłaszcza w części centralnej miasta.

Poczynając od XIV aż do początku XIX wieku otaczał starą Warszawę wraz z placem Zamkowym początkowo pojedynczy, później podwójny pierścień murów obronnych. Wiele elementów tych murów dochowało się do naszych czasów, głównie dzięki temu, iż zostały one w wieku XVIII wykorzystane jako ściany nośne domów powstających na miejscu międzymurza i dawnej fosy. Zabudowania te rozsypały się w czasie bombardowania i dopiero po usunięciu gruzów okazało się, że wielkie partie obwarowań mogą być ujawnione w stanie pierwotnym. W ten sposób do historycznego układu przestrzennego Starego Miasta mógł być wprowadzony jeszcze jeden, niewątpliwie autentyczny element, będący pomnikiem najstarszych dziejów średniowiecznego miasta. Sprawa ustalenia kryteriów konserwatorskich i urbanistycznych nie była łatwa i wymagała – oprócz gruntownej znajomości historii i teorii konserwacji zabytków – wielkiej ostrożności oraz niezwykłej intuicji architektonicznej.
Chyba jeszcze trudniejszą sprawą było realizowanie zamiennych projektów w warunkach stałego komplikowania się zamierzeń wobec nowych odkryć i konieczności rozwiązywania trudnych problemów technicznych, tak jak to miało miejsce w budynku Rynek Starego Miasta nr 19, gdzie dopiero w pełnym biegu robót murarskich ujawniono strop ceglany, dzielący oryginalną, wysokości dwóch kondygnacji, gotycką piwnicę. Specyficzny charakter zabudowy Starego Miasta oraz jego lokalizacja w centrum układu zabytkowego dawnej Warszawy wysunęły zagadnienie jego odbudowy na czoło problemów konserwatorskich Stolicy.
Wszystkie prace związane z opracowaniem programu odbudowy i z ustaleniem wytycznych konserwatorskich przejął zespół architektów Wydziału Architektury Zabytkowej Biura Odbudowy Stolicy, a od 1947 roku Konserwator Zabytków miasta stołecznego Warszawy.
Prace przygotowawcze, wstępne zabezpieczenie i merytoryczny nadzór nad realizacją w tym tak wielkim przedsięwzięciu wykonane zostały w czterech etapach. Pierwszy – do roku 1947 włącznie – poświęcony był gromadzeniu materiałów naukowych, studiom koncepcyjnym i prowadzeniu doraźnych zabezpieczeń tych budynków, które miały być zachowane w ich autentycznym stanie; drugi etap – do roku 1950 – wykorzystano na kontynuowanie zabezpieczeń, odbudowę niektórych obiektów, opracowanie planu urbanistycznego dla dzielnic historycznych i wykonanie podziemnej arterii komunikacyjnej, zwanej Trasą W-Z, oraz sporządzenie wstępnego projektu rekonstrukcji Zamku Królewskiego. W tym czasie rozpoczęto jego odbudowę od ustawienia z autentycznych elementów kamiennych Bramy Grodzkiej i uzupełnienia fragmentu ściany Zamku do zachowanego narożnika południowo-zachodniego. W trzecim etapie – do roku 1954 – całkowicie odgruzowano obszar staromiejski, przeprowadzono badania udostępnionych parterów i piwnic budynków, przygotowano dokumentację konserwatorską i rozpoczęto realizację większej części zabudowy Starego i Nowego Miasta. W etapie czwartym – do roku 1960 – zakończono rekonstrukcję wszystkich elementów zespołu staromiejskiego wraz z murami obronnymi i otoczeniem historycznego zespołu.

W kolejności miała być podjęta odbudowa Zamku Królewskiego i następnie Zamku Ujazdowskiego jako pomników mecenatu Zygmunta III i także państwowości Rzeczypospolitej, jak i stołeczności Warszawy.
Podstawowym zadaniem tak zaprogramowanych prac było przede wszystkim stworzenie w zamierzonej odbudowie Starego Miasta jak najwłaściwszych warunków do normalnego biegu życia osiedla mieszkaniowego, przy jednoczesnym zachowaniu wszystkich walorów oraz charakterystycznych cech dzielnicy zabytkowej. Tak więc oprócz pełnienia funkcji mieszkaniowych dzielnica ta miała sprostać zadaniom wynikającym z jej wyjątkowej roli kulturalnej i historycznej w nowej koncepcji urbanistycznej Wielkiej Warszawy. W ten sposób zagadnienia zagospodarowania przestrzennego całego ośrodka musiały być ściśle zintegrowane z postulatami natury konserwatorskiej, a zagadnienia czysto użytkowe – z możliwościami adaptacji budowli zabytkowych do życia współczesnego.
Rozstrzygnięcia zatem wymagały dwa problemy niezwykle istotne dla tej sprawy: problem zachowania kolejnych faz rozwoju urbanistycznego Starego Miasta w aspekcie ówczesnych czynników miastotwórczych, poczynając od średniowiecza aż do końca XVII wieku, oraz problem unowocześnienia i dostosowania historycznej zabudowy do obowiązujących współcześnie wymagań, przepisów, normatywów oraz konieczności wyposażenia w nowoczesne urządzenia techniczne.
Jak wiadomo, Warszawa swój rozwój gospodarczy zawdzięcza nie tylko położeniu nad rzeką, ale także dogodności przepraw przez Wisłę na szlakach krzyżujących się pod miastem. Osiedla powstające z biegiem czasu przy drogach handlowych na obszarach sąsiadujących ze Starym Miastem przekształciły się w dzielnice Wielkiej Warszawy. Konsekwencje takiego rozwoju miasta, zwłaszcza na południu i na północy, a także od strony wschodniej i zachodniej, utrwaliły centralne położenie dzielnicy staromiejskiej. Ale już od początku XIX wieku w szybko rozwijającym się mieście dzielnica ta nie była w stanie pełnić historycznej funkcji. Jednocześnie charakter dawnej zabudowy (głównie typu mieszkaniowego) na obszarze staromiejskim wskazywał, że zarówno warunki lokalizacji, jak i sposób użytkowania najbardziej predestynują go do roli osiedla mieszkaniowego.
Studia prowadzone pod tym kątem upewniły projektodawców, że dla przywrócenia życia historycznej dzielnicy jest to najsłuszniejsza decyzja. Stwarzała ona bowiem nie tylko możliwości jak najlepszego wykorzystania powierzchni użytkowej na potrzeby mieszkalnictwa, ale także prawidłowego zlokalizowania osiedlowych usług i zrealizowania pełnego programu kulturalno-turystycznego, który w nowych warunkach stał się istotnym elementem zagospodarowania dzielnicy historycznej.
W ten sposób utrzymano w planie ogólnym Warszawy lokalizację Starego Miasta jako dzielnicy programowo adaptowanej do potrzeb mieszkalnych i zapewniono warunki jej egzystencji w układzie urbanistycznym milionowego miasta. Zachowany i włączony organicznie do ustroju wielkomiejskiego najstarszy obszar warszawskiego układu przestrzennego nie wymagał ani zmiany skali, ani też rozbudowy, jak również takich przekształceń, które by w jakimkolwiek stopniu naruszały jego

historyczną koncepcję. Nawet gdyby dziś zaszła potrzeba lokalizacji na skarpie wiślanej dzielnicy mieszkaniowej, przy założeniu zachowania zasadniczego układu przestrzennego terenów nadbrzeżnych miasta – to trudno byłoby znaleźć miejsce bardziej dogodne i logicznie uzasadnione niż staromiejskie płaskowzgórze. Bezpośrednie sąsiedztwo rzeki i terenów zielonych (na dolnym tarasie), dogodne położenie przy krzyżujących się szlakach komunikacyjnych, dobre warunki budowlane – były więcej niż przekonywające, że Stare Miasto może być jedną z najbardziej atrakcyjnych dzielnic mieszkaniowych w śródmieściu nowoczesnego miasta.

Lokalizacja dzielnicy mieszkaniowej na obszarze Starego Miasta pociągnęła za sobą konieczność rozstrzygnięcia problemów komunikacji miejskiej. Jeszcze w okresie międzywojennym na placu Zamkowym krzyżowały się dwa prostopadłe do siebie szlaki łączące dzielnice południowe z północnymi i wschodnie z zachodnimi. Przy nowej koncepcji urbanistycznej ulice Starego Miasta i inne, bezpośrednio łączące się z nimi, nie były w stanie zapewnić przepływu ruchu kołowego bez radykalnych zmian w układzie sieci ulicznej tego obszaru. Wyeliminowanie ruchu kołowego z tej dzielnicy stało się sprawą oczywistą i znalazło rozwiązanie w dwóch podstawowych decyzjach.

Pierwsza z nich dotyczyła wykonania tunelu pod placem Zamkowym i historyczną zabudową jego otoczenia. Tunel pozwolił na przeniesienie ruchu kołowego łączącego wschodnie i zachodnie dzielnice miasta z pominięciem zespołu staromiejskiego.

Druga decyzja przesądziła o skierowaniu ruchu kołowego północ-południe poprzez ulicę Miodową z ominięciem placu Zamkowego i Starego Miasta.

W ten sposób cały zespół historyczny wraz z placem Zamkowym praktycznie został wyeliminowany z ruchu kołowego, chociaż znajdował się do tej pory na skrzyżowaniu arterii komunikacyjnych, a staromiejską dzielnicę mieszkaniową (pomimo jej centralnego położenia w Stolicy) uwolniono od konsekwencji ruchu tranzytowego.

Drugim problemem, wynikającym z programu założonego dla dzielnicy staromiejskiej, była sprawa przystosowania zabytkowych kamieniczek do nowych funkcji. Realizacja zamierzeń w zakresie potrzeb turystyki i natury kulturalnej nie sprawiała specjalnych trudności, jednak adaptacja budowli dawnego typu do celów mieszkalnictwa wymagała pokonania poważnych przeszkód.

Założenia programowe wyraźnie postulowały, że pomieszczenia parterowe przy głównym szlaku komunikacyjnym Świętojańska–Rynek (strona Kołłątaja)– Nowomiejska mają być przeznaczone na handel odpowiadający potrzebom dzielnicy oraz na usługi związane z masową turystyką. Było to w zasadzie zgodne z historycznym sposobem użytkowania parterów, kiedy Stare Miasto stanowiło centrum handlowe Warszawy i życie mieszkańców wyraźnie koncentrowało się na Rynku staromiejskim. W pomieszczeniach dawnych warsztatów rzemieślniczych i sklepów można było, bez wprowadzania istotnych zmian w układzie nośnych ścian, umieścić nowe zakłady pracy i sklepy oraz nowe ośrodki życia zbiorowego. Również zgodnie

13. Zabudowa Starego Miasta przed 1939 r.

z założeniami programowymi mogły znaleźć się na Starym Mieście siedziby instytucji naukowych i kulturalnych, zastępując w pewnym sensie domy patrycjatu staromiejskiego, w których ogniskowało się życie kulturalne. Jednocześnie powstały obszerne lokale kawiarni i restauracji, mające na celu przede wszystkim zaspokojenie potrzeb ruchu wycieczkowego.

Problem adaptacji domu mieszczańskiego natomiast, w zasadzie użytkowanego przez jednego właściciela, komplikowała potrzeba przystosowania go do typowego układu dwu- i trzyizbowych mieszkań oraz do wymagań nowoczesnej techniki. Toteż w świetle wytycznych programowych i standardów, obowiązujących dla nowo wznoszonych osiedli mieszkaniowych, nie zawsze pokrywających się z historycznym układem planu, należało szukać kompromisów zarówno w odstępstwie od normatywów, jak i od dawnych układów przestrzennych wnętrz poszczególnych budowli. Decyzja w takich wypadkach była uzależniona od stanu technicznego, autentyczności zachowanych elementów i wartości historycznej kamienic.

14. Stan zabudowy Starego Miasta po odbudowie w 1956 r.

W ten sposób zgodnie z założeniami konserwatorskimi zachowano historyczną wysokość kondygnacji domów i odtworzono ich obrys zewnętrzny wraz z charakterystycznymi świetlikami klatek schodowych, wydźwigniętymi ponad dachy. W większości wypadków zrekonstruowano typowy podział wewnętrzny budynków. Natomiast w budynkach zniszczonych odstąpiono na ogół od historycznego układu mieszkań, dążąc do utrzymania powierzchni standardowych. Zasadniczą i istotną zmianą w stosunku do dawnego wyposażenia było wprowadzenie do kamienicy staromiejskiej – poza wodociągiem i kanalizacją – centralnego ogrzewania. Do zmian, które niewątpliwie przyczyniły się do unowocześnienia staromiejskiej dzielnicy w porównaniu z jej stanem sprzed 1944 roku, zaliczyć należy poważne przekształcenie wewnętrznej zabudowy bloków. W celu uzyskania jak najlepszych warunków higienicznych dzielnicy mieszkaniowej prawie całkowicie usunięto dziewiętnastowieczną zabudowę dziedzińców. Wyjątek w konsekwentnym przestrzeganiu tych założeń stanowiły tylko dwa bloki: jeden między ulicami Święto-

jańską i Piwną, drugi między Rynkiem (strona Kołłątaja) i Piwną. Zważywszy jednak, że w blokach tych nie tylko parter, ale często i piętra były adaptowane do celów usługowych, wyburzenia ograniczono do elementów zabudowy nie przedstawiających znaczenia historycznego. W tych dwóch szczególnych wypadkach przewagę uzyskały postulaty natury zabytkowej.
Wykorzystując cały zespół staromiejski na cele mieszkalnictwa wiele miejsca przeznaczono również na urządzenia o charakterze socjalno-usługowym. Dlatego też proporcjonalnie do liczby mieszkańców zlokalizowano w tej dzielnicy żłobek, przedszkole, szkołę podstawową (poza pierścieniem murów obronnych), świetlicę dziecięcą, dom społeczny, bibliotekę dzielnicową oraz ambulatorium, aptekę, pocztę i wiele sklepów. Jednocześnie z uwagi na potrzeby turystyki, która została przewidziana jako nowy element funkcji ośrodka historycznego, zarezerwowano dosyć dużą powierzchnię na użytek kawiarni, restauracji i usług turystycznych, obok budynków przeznaczonych na muzea i siedziby organizacji społecznych i naukowych.
Doświadczenie wielu lat udowodniło, że staromiejski zespół został zagospodarowany prawidłowo, że zapewnia on dobre warunki życia mieszkańcom, oraz że dzielnica ta spełnia wszystkie wyznaczone funkcje. W ten sposób udało się nie tylko przywrócić Staremu Miastu jego charakter pomnikowy, ale także stworzyć w przywracanych do życia zespołach atmosferę właściwą kryteriom epok, do których one należały. Miękki bieg linii regulacyjnych, indywidualizm ograniczony zaledwie do zasadniczych wysokości i obwarowany rygorami prawa budowlanego, powściągliwa dekoracyjność, leżąca w kanonach obowiązującej ówcześnie sztuki, wreszcie malowniczość w przygaszonych barwach z rzadka podakcentowanych złotem – wpłynęły na wytworzenie nastroju wysoce humanistycznego, odpowiadającego psychice polskiej.
Odbudowa prowadzona specyficznie warszawskimi metodami po przeszło trzydziestu latach została oceniona pozytywnie nie tylko w kraju, ale także i na świecie. Jako dowód mogą służyć oceny mieszkańców śródmieścia, a zwłaszcza najstarszych dzielnic Warszawy, którzy traktują Stare Miasto jako autentyczne i uważają za piękne. Także cudzoziemcy związani bliżej z problematyką konserwatorską, architektoniczną i urbanistyczną, wypowiadają się o tym „polskim zabiegu" ratowania resztek autentyzmu i „wiarygodnej" rekonstrukcji – nie szczędząc pochwał, podkreślając wartość dzieła tak pod względem artystycznym jak i technicznym. Przy tym osiągnięty sukces przypisać należy słusznie od początku postawionej tezie, a mianowicie, że nawet najstarsze zespoły w dalszym ciągu mogą dobrze służyć potrzebom współczesnym.
Stało się to dzięki nieustannej czujności orzecznictwa specjalistycznego wybitnych znawców architektury polskiej, którzy w ciągu pierwszych dziesięciu lat po zakończeniu wojny stanowili niezmienny „sztab" (zespół oceniający projekty i realizacje) trzonu konserwatorskiego na m.st. Warszawę, obok świetnie wyszkolonych architektów-projektantów, jak i obsługi technicznej, gwarantującej perma-

15. Widok Starego Miasta, miedzioryt Jerzego Millera z 1960 r., przedstawiający stan przed odbudową Zamku Królewskiego

nentny nadzór konserwatorski i budowlany, oraz wysoko kwalifikowanych brygad robotników oddanych całym sercem wielkopomnemu dziełu.

Uznając ten heroiczny i bezprzykładny dowód czci społeczeństwa polskiego dla dzieła minionych pokoleń i szacunku dla wkładu twórczej myśli konserwatorskiej naszych czasów, Międzynarodowy Komitet Dziedzictwa Światowego przy UNESCO dnia 2 września 1981 roku postanowił wpisać centrum historyczne Warszawy na listę Pomników Dziedzictwa Światowego.*)

---

*) Patrimoine Culturel de l'humanite les 112 cites inscrits sur la liste du partimoine mondial – „Centre historique de Varsovie'', Bulletin d'Informations 1982, Nr 18, pag. 12–19 (ed. UNESCO)

Dzieje Zamku Królewskiego

Stanisław Lorentz

Równocześnie z Warszawą, w końcu XIII wieku, powstała obok miasta siedziba książąt mazowieckich, założona najprawdopodobniej przez Bolesława II na wysokim brzegu Wisły, nad wąwozem, którym ku Wiśle płynął strumień Kamionka. Gród książęcy z drewnianymi zabudowaniami i ziemno-drewnianymi obwarowaniami był typowym dla tego okresu założeniem obronnym, doskonale przystosowanym do warunków terenowych. W roku 1321 źródła historyczne po raz pierwszy wymieniają kasztelana warszawskiego Wojciecha Kuźmę. Urzędował on w grodzie, gdzie prócz zabudowań mieszkalnych i gospodarczych znajdowała się osobna szopa, stanowiąca pomieszczenie sądów. W pierwszej połowie XIV wieku na cyplu wąwozu i skarpy wiślanej wybudowano murowaną Wieżę Wielką, której później nadano nazwy Złamana i Grodzka. Pierwsza z tych późniejszych nazw wiąże się pewnie z jakąś katastrofą, po której wieży już nie odbudowano w pełnej wysokości. Z Wieży Wielkiej zachowały się do dziś fundamenty z ogromnych głazów granitowych oraz izba piwniczna, ciemnica bez okien, do której spuszczano się przez otwór w podłodze izby parterowej. Było to więzienie aż do pierwszej połowy XVII wieku. Wieża Wielka już w pierwszej połowie XIV wieku była połączona obronnymi murami z fortyfikacjami miejskimi.

W połowie XIV wieku tereny zamkowe objęły znacznie większy obszar, odpowiadający późniejszej zabudowie Zamku z trzema dziedzińcami. Dziedziniec przedni, zwany Aptecznym, zajmował dużą część obecnego placu Zamkowego. Ten wielki obwód fortyfikacyjny mieścił rezydencję książęcą, budynki sądowe, administracyjne i gospodarcze. Zamek, ściśle przylegający do miasta, nie był pomyślany jako panująca nad miastem warownia, lecz jako jeden z elementów układu miejskiego, bastion południowo-wschodni w miejskich fortyfikacjach.

Wielkie zmiany zaszły w Zamku warszawskim za czasów księcia Janusza I, który w swej dzielnicy zbudował zamki murowane w Ciechanowie, Liwie i Czersku. W latach 1411–1413 wzniesiono przy Wieży Wielkiej nad skarpą wspaniały, murowany gotycki Dwór Większy (Curia Maior) o trzech kondygnacjach, długi na czterdzieści siedem i pół, szeroki na czternaście i pół, wysoki na piętnaście metrów, z okrągłą wieżą zawierającą klatkę schodową.

Później, za panowania Władysława IV, wieża została przekształcona w stylu barokowym i nazwana Wieżą Władysławowską. Do dziś zachowały się trzy pomieszczenia piwniczne Dworu Większego, obecnie już odrestaurowane. Naj-

wspanialsze z nich, o powierzchni stu metrów kwadratowych, ma krzyżowe sklepienie rozpięte na pasach sklepiennych, wspierających się na ośmiobocznym słupie. To najokazalsze w Warszawie autentyczne świeckie wnętrze gotyckie mieściło prawdopodobnie skarbiec książęcy. Wiemy z inwentarzy, że w skarbcu znajdowało się między innymi pięć mitr okutych złotem, miecz pozłocisty, szaty książęce obszyte perłami i drogocennymi kamieniami, rzędy końskie z perłami i szafirami, siodła końskie srebrne złocone, relikwiarze, lwie głowy pozłacane, srebrne naczynia stołowe, liczne klejnoty, futra i kosztowne materie. Po odbudowie Zamku, nawiązując do tradycji, przeznaczyć chcemy gotyckie piwnice na skarbiec zamkowy. Izby parterowe służyły Radzie Książęcej i Sądom Książęcym, a później i Sejmom Walnym Księstwa. Na parterze też mieściła się prawdopodobnie Kancelaria Książęca. Tu zapisywano protokoły czynności prawnych księcia w księdze zwanej Metryką Księstwa Mazowieckiego. Na piętrze znajdowały się cztery komnaty książęce – trzy we Dworze i jedna w Wieży Wielkiej.
Książę Janusz I Starszy, ożeniony z Anną Danutą, córką księcia litewskiego Kiejstuta, był władcą wybitnym. Na czele chorągwi mazowieckiej uczestniczył w bitwie pod Grunwaldem, wydał liczne statuty, z których pięć ogłosił na Zamku warszawskim. Dbał o miasto Warszawę, udzielając mu licznych przywilejów, a w roku 1426 podejmował tu okazale króla Władysława Jagiełłę.
W ciągu XV wieku na terytorium zamkowym powstały dalsze murowane budowle: kaplica św. Małgorzaty, wieża kwadratowa (na północ od Dworu Większego), mury obronne, a w końcu XV wieku od strony Kanonii – Dwór Mniejszy (Curia Minor). Był to piętrowy budynek o długości dwudziestu czterech i szerokości dziesięciu metrów.
Dwaj ostatni książęta mazowieccy prowadzili na Zamku dwór huczny i okazały. Zmarli w młodym wieku – Stanisław w 1524, Janusz III w 1526 roku. Siostra ich, Anna, wystawiła braciom w kościele św. Jana renesansowy nagrobek z czerwonego marmuru. Na Zamek warszawski wjechał król Zygmunt Stary. W roku 1529 księstwo mazowieckie zostało wcielone do Korony, a król odbył w Warszawie pierwszy Sejm Walny Koronny.
Król Zygmunt August od roku 1564 nieraz przebywał w Warszawie, dokąd po unii lubelskiej postanowiono przenieść obrady sejmowe. W roku 1570 odbył się tu Sejm Walny całej Rzeczypospolitej. Nowe funkcje Warszawy wymagały zasadniczej przebudowy i rozbudowy Zamku. Rozpoczęto ją w 1569 roku pod kierunkiem dwóch wybitnych architektów Renesansu: Jana Baptysty Quadra, znanego z przebudowy ratusza w Poznaniu, oraz Jakuba Parra, który pracował przy przebudowie zamku w Brzegu na Śląsku. Śmierć króla w roku 1572 przerwała prace na Zamku warszawskim, ale w ciągu trzech lat dokonano tu niemało. Przebudowano gruntownie Dwór Większy, gdzie na parterze powstał ciąg trzech sal – z jednym, dwoma i trzema słupami. Sale te zachowały się aż do zburzenia Zamku i zostały zrekonstruowane. Sala trzysłupowa była Izbą Poselską, nad nią na piętrze mieściła się Sala Senatu, główna Sala Sejmowa. Gmach Rady Książęcej

i Sejmu Mazowieckiego został więc przystosowany do potrzeb Sejmu Walnego Rzeczypospolitej, który tu obradował aż do czasów saskich.
W przedłużeniu Dworu Większego wybudowano piętrowy, podpiwniczony królewski gmach mieszkalny, usytuowany wzdłuż skarpy, pod kątem rozwartym do dawnego budynku, co przesądziło o późniejszym pięciobocznym kształcie dziedzińca głównego. Osobna wieża zawierała klatkę schodową. W wielkiej izbie zbudowano ganek muzyczny. Komnaty królewskie były wspaniale urządzone, pułapy malowane, na ścianach wisiały arrasy ze słynnych jagiellońskich kolekcji. Przebudowano i zmodernizowano też Dwór Mniejszy, w którym mieszkała królewna Anna. Gmach muzyczny i dom Jurka Kleryki albo Jerzego Jasińczyka, dyrygenta chóru królewskiego, świadczą o artystycznych upodobaniach rodziny królewskiej. Nową siedzibę króla łączył ganek z pokojami królewny, a stąd ganek prowadził do kościoła św. Jana. Na Wiśle zaczęto budować stały most.
W czasie bezkrólewia w styczniu 1573 roku odbył się na Zamku sejm konwokacyjny, poprzedzający elekcję. Zapadła wówczas doniosła uchwała, nazwana Konfederacją Warszawską, która stanowi chlubną kartę w naszych dziejach. Uchwała zapewniała pokój między katolikami i różnowiercami, równouprawnienie polityczne, wolność sumienia i wzajemną tolerancję. Na sejmie elekcyjnym w kwietniu i maju 1573 roku ustalono zasady ustroju Rzeczypospolitej w akcie zwanym artykułami henrykowskimi, które przedłożono do zatwierdzenia Henrykowi Walezemu. Akt ten zaprzysięgali następni władcy.
Dnia 25 lutego 1578 roku król Stefan Batory przyjmował na Zamku księcia Jerzego Fryderyka, przybyłego z Prus w celu złożenia hołdu lennego. Zamek odgrywał w Rzeczypospolitej coraz większą rolę jako siedziba władzy ustawodawczej i ważna rezydencja królewska.

Proces przenoszenia głównego ośrodka władzy Rzeczypospolitej z Krakowa do Warszawy, zainicjowany przez Zygmunta Augusta, podjął król Zygmunt III Waza po wstąpieniu na tron w roku 1587. W związku z tym od roku 1598 rozbudowywano zespół zamkowy, nadając mu w ogólnych zarysach taki kształt, jaki się zachował do 1939 roku. Budowa trwała dwadzieścia lat, do roku 1619, ale i potem jeszcze kontynuowano zdobienie wnętrz. Zachowano gotycką Wieżę Wielką, czyli Grodzką, Dwór Większy i gmach mieszkalny Zygmunta Augusta, dobudowując skrzydła północne, zachodnie i południowe; całość zamknęła się wokół pięciobocznego dziedzińca. Nowe skrzydła były dwupiętrowe, czyli trójkondygnacyjne. Na dziedziniec prowadziła od południa Brama Grodzka, od północy – Brama Senatorska, a od zachodu, to jest od strony miasta – Brama Szlachecka w sześćdziesięciometrowej wieży zwieńczonej wysokim hełmem, zwanej Wieżą Zygmuntowską albo Wieżą Zegarową od wielkiego zegara, umieszczonego na niej w 1622 roku. Wieża Zygmuntowska dominowała nad całym zespołem zamkowym, a w przedwojennym widoku Zamku od strony placu stanowiła akcent szczególnie charakterystyczny, wiążący się z kolumną Zygmunta III. Na obu krańcach elewacji o długości około dziewięćdziesięciu metrów wystawiono wieżyczki, podkreślające narożniki pięcio-

16. Złożenie hołdu Zygmuntowi III przez carów Szujskich na Sejmie w 1611 r., miedzioryt Tomasza Makowskiego wg obrazu Tomasza Dolabelli

bocznego dziedzińca. Wieżyczki te zniesiono w czasie przebudowy Zamku za czasów Augusta III, w połowie XVIII wieku.

Sądzić można, że projekt rozbudowy Zamku sporządził, a przynajmniej zatwierdził, królewski architekt Jan Chrzciciel Trevano, czynny na Wawelu za panowania Zygmunta III. Budowę prowadził Jakub Rotondo, a później, po roku 1614 – Mateusz Castello; prace rzeźbiarskie w kamieniu i marmurze wykonywał Paweł di Corte.

W roku 1611 król już na stałe zamieszkał na Zamku i przeniosły się tu z Krakowa naczelne urzędy; rezydencja musiała więc być już w głównym zrębie ukończona. Gdy jesienią 1620 roku na króla, który w niedzielę i święta udawał się z rodziną i dworem na nabożeństwo, dokonał zamachu Michał Piekarski, postanowiono zapewnić kryte przejście z Zamku do kościoła. Poprzez zabudowania kuchennego dziedzińca przeprowadzono wtedy korytarz, czyli ganek o długości osiemdziesięciu metrów. Korytarz ten zachował się do naszych czasów; jego fragment istnieje przy bramie wiodącej z dziedzińca kuchennego na Kanonię. Bryła Zamku była monumentalna, cechowała ją prostota i kubiczność, charakterystyczna dla fazy stylowej

architektury polskiej pierwszej połowy XVII wieku w Polsce, zwanej „stylem Wazów". Wnętrza natomiast, które stanowiły odpowiednik stylistyczny rzymskiej architektury okresu przejściowego między manieryzmem i barokiem, były wspaniale wyposażone.
Wielka Sala Senatorska, gdzie w roku 1611 składali hołd Zygmuntowi III carowie Szujscy przywiezieni jako jeńcy przez hetmana Stanisława Żółkiewskiego, posiadała kasetonowy pułap o bogato malowanych belkach ze zwisającymi rozetami. Dwa plafony pędzla Tomasza Dolabelli, przedstawiające zdobycie Smoleńska i właśnie złożenie hołdu Zygmuntowi III przez carów Szujskich, znajdowały się w pierwszej i drugiej antykamerze. Oba płótna w 1707 roku wywiózł z Zamku warszawskiego car Piotr I. Ściany obwieszone były kobiercami. W tydzień po hołdzie Szujskich przybył do Warszawy elektor brandenburski Jan Zygmunt Hohenzollern, by jako regent Prus Książęcych złożyć hołd królowi. Ponieważ tłumy chciały przy tej uroczystości asystować, zdecydowano, by ceremonia odbyła się na Krakowskim Przedmieściu przed kościołem bernardynów, bo Sala Senatorska nie mogła pomieścić tak licznych widzów, a roboty budowlane na dziedzińcu zamkowym nie były jeszcze zakończone. W Sali Senatorskiej odbył się ostatni hołd pruski, który w roku 1641 Władysławowi IV złożył książę Fryderyk Wilhelm, zwany później Wielkim Elektorem.
Szczególną sławą cieszył się Gabinet Marmurowy, urządzony po roku 1619 i uchodzący za najpiękniejszą komnatę zamkową. Różnobarwne marmury do wyłożenia ścian sprowadzono z Flandrii; plafon, namalowany przez Dolabellę, przedstawiał koronację Zygmunta III, inny umieszczony tu obraz – wzięcie do niewoli arcyksięcia austriackiego Maksymiliana przez Jana Zamoyskiego w bitwie pod Byczyną w 1588 roku. Gabinet ten, za czasów Władysława IV ozdobiony portretami królów polskich, został odtworzony w zmienionych formach za Stanisława Augusta Poniatowskiego.

Za króla Władysława IV wieża z klatką schodową, znajdująca się w załamaniu elewacji skrzydła wschodniego, otrzymała kształt i hełm barokowy, projektowane pewnie przez architekta Konstantego Tencallę. W części północnej tego skrzydła na pierwszym piętrze, a więc jak w okresie Zygmunta Augusta i potem aż do czasów saskich, znajdowały się królewskie apartamenty mieszkalne. Na Zamku mieściły się centralne urzędy państwowe: urząd marszałkowski, kanclerski i podskarbiński; był więc Zamek Królewski w Warszawie rezydencją króla, a zarazem siedzibą władzy ustawodawczej i naczelnych władz wykonawczych. W roku 1621 u podnóża skarpy nadwiślańskiej wzniesiono mur obronny z dwoma silnymi bastionami. W latach 1638–1643 na północnym bastionie wzniesiono pałacyk dla Karola Ferdynanda Wazy, brata Władysława IV, zaprojektowany przez architekta królewskiego Jana Chrzciciela Ghisleniego. Pałacyk, znany z widoków Warszawy od strony Wisły, zburzyli Szwedzi w 1656 roku.
Z Zamkiem najsilniej związany jest pomnik Zygmunta III, wzniesiony w roku 1643 przez jego syna, Władysława IV. Projektował pomnik Tencalla, postać króla

wyrzeźbił Clemente Molli, odlew wykonał Daniel Tym. Kolumna Zygmunta stała się charakterystycznym motywem warszawskim, silnie zespolonym z widokami Zamku od strony Krakowskiego Przedmieścia i ze Starego Miasta, zwłaszcza odkąd w początku XIX wieku na miejscu dawnych zabudowań dziedzińca przedniego powstał plac Zamkowy.

Pod panowaniem Wazów Warszawa nie tylko była stolicą polityczną i administracyjną, lecz stała się także głównym ośrodkiem nauki, sztuki i kultury, do czego oprócz mecenatu dworu królewskiego przyczynił się również mecenat magnatów. Z okazji uroczystości dworskich, na przykład zaślubin Władysława IV z cesarską córką Cecylią Renatą, Jana Kazimierza z Marią Ludwiką Gonzaga czy też królewny Anny Katarzyny z elektorem Palatynatu Filipem Wilhelmem, odbywały się na Zamku wspaniałe przyjęcia połączone z tańcami i zabawami towarzyskimi. Apartamenty królewskie wypełnione były dziełami sztuki. Zygmunt III sprowadzał obrazy głównie z Włoch, Władysław IV również z Niderlandów, między innymi posiadał wiele obrazów Rubensa, Jan Kazimierz – także obrazy Rembrandta. Wielką rolę w dekoracji wnętrz zamkowych odgrywały tkaniny artystyczne – arrasy i wschodnie kobierce.

Teatr w okresie Wazów osiągnął bardzo wysoki poziom. Za czasów Zygmunta III występowały na Zamku zespoły komediantów angielskich. Jeszcze za życia i wkrótce po śmierci Szekspira wystawiono w teatrze *Romea i Julię*, *Kupca weneckiego*, *Króla Leara* i *Hamleta*. Kapela królewska liczyła sześćdziesiąt osób. Władysław IV utworzył na Zamku stały teatr operowy, w którym występowali zawodowi aktorzy. W południowym skrzydle wybudowano wówczas specjalną salę teatralną, wyposażoną w najnowsze urządzenia techniczne z zapadnią i systemem lin ułatwiającym zmiany dekoracji. Oprawa plastyczna i barokowe efekty budziły najwyższy entuzjazm.

W dziedzinie nauki mecenat królewski był wszechstronny i nowoczesny. Władysław IV korespondował z Galileuszem, sprowadzał z Włoch lunety i różne przedmioty techniczne, Maria Ludwika nabyła we Francji przyrządy do badań naukowych i utworzyła na Zamku Gabinet Fizyczny. Utrzymywano żywe kontakty z uczonymi z różnych krajów.

Rozkwitowi życia naukowego i artystycznego na Zamku i na warszawskich dworach magnackich kres położył w 1655 roku najazd szwedzki. Zamek Królewski nie był wprawdzie zburzony ani spalony, ale wnętrza jego zostały zdemolowane i ograbione. Wywieziono do Szwecji lub zniszczono wszystko, co było na Zamku cennego. Do dziś w zbiorach szwedzkich znajdują się liczne dzieła sztuki, pamiątki historyczne i wszelkiego rodzaju dobra kultury wywiezione z Polski w czasie najazdów szwedzkich w XVII i na początku XVIII wieku – w tym wiele z Zamku Królewskiego. Wprawdzie w drugiej połowie wieku XVII Zamek był użytkowany, odbywały się tu sejmy, mieszkali królowie, ale ani nie podjęto jego gruntownej przebudowy, ani nie dbano o należyte wyposażenie. Zanotować jednak trzeba, że w 1662 roku w ocalałej Sali Teatralnej grano *Cyda* Corneille'a w tłumaczeniu

Morsztyna, a za panowania Sobieskiego odbywały się tu różne widowiska, występy baletu, przedstawienia komedii francuskich i włoskich, a w roku 1694, z okazji zamążpójścia królewny Teresy Kunegundy, trupa włoska odegrała operę Lampugnaniego.

Czasy saskie zaznaczają się na Zamku wielkimi zmianami. W początkach panowania Augusta II, przed rokiem 1704, przeniesiono Salę Poselską z parteru Dworu Większego na I piętro narożnika południowo-zachodniego, od strony kolumny Zygmunta III. Ta jednokondygnacyjna sala służyła jako Izba Poselska aż do powstania listopadowego. Salę Senatu najpierw przebudowano, a po roku 1735 została przeniesiona do narożnika północno-zachodniego, od strony ulicy Świętojańskiej. Wnętrze zaprojektował architekt Joachim D. Jauch. Salę z parami korynckich pilastrów na ścianach zdobiły wielkie godła Polski i Wielkiego Księstwa Litewskiego oraz herby województw. Ściany i podłogę pokryto czerwonym suknem. Z dawnej Sali Senatu wzięto tron oraz niektóre elementy architektoniczne i dekoracyjne. W nowej Sali, która w architekturze nie uległa większym zmianom do końca XVIII wieku, uchwalono w 1791 roku Konstytucję 3 maja. Jeszcze jedną zmianę wprowadzono, tworząc oddzielną Salę Tronową w jednym z mieszkalnych pokoi królewskich, pozostających na dawnym miejscu w skrzydle północno-wschodnim.

Początkowo August II planował wielką rozbudowę Zamku, ale burzliwe lata wojenne zmusiły go do zaniechania tych zamiarów; później zresztą zainteresowania królewskie zwróciły się w innym kierunku i właściwą rezydencją stał się pałac Saski. Prace na większą skalę podjęto za panowania Augusta III, kiedy zaplanowano rozbudowę skrzydła północno-wschodniego i wzniesienie od strony Wisły monumentalnej fasady. Żądano, by projekt był możliwy do realizacji, aby się liczył z warunkami terenowymi i kosztami. Koncepcję takiej fasady opracował architekt Gaetano Chiaveri przed 1737 rokiem. Projekt ten, zmodyfikowany przez architektów saskich, został przez króla zaaprobowany i w latach 1741–1746 wykonano prace budowlane pod kierunkiem Antoniego Solariego. Malownicza rokokowa fasada na skarpie stała się jednym z akcentów dominujących w panoramie miasta. Widok jej, utrwalony w 1770 roku w Panoramie Warszawy Canaletta, będą później malowali i rysowali liczni artyści, aż po naszą współczesność. Fasada miała trzy ryzality: wielki środkowy, gdzie zaplanowano Salę Audiencyjną (w dobie Stanisława Augusta urządzono tu Salę Balową), i dwa boczne. Ryzalit południowy objął Sypialnię Króla (za czasów Stanisława Augusta – Sala Tronowa), ryzalit północny – kaplicę.

Ryzality w kondygnacji parterowej połączone były czteroarkadowymi galeriami, na których wspierały się balkony pierwszego piętra. Dach nad ryzalitem środkowym, mieszczącym dwukondygnacyjną Salę Audiencyjną, był mansardowy z attyką, na której ustawiono wielki rzeźbiony kartusz z herbami Rzeczypospolitej i króla. Po bokach stały posągi alegoryczne. W trójkątnych frontonach nad ryzalitami bocznymi, w bogatej dekoracji rzeźbiarskiej, umieszczone były tarcze

z monogramami króla pod koronami, unoszone przez uskrzydlone postacie kobiece – alegorie sławy. Dzieła te wykonał Jan Jerzy Plersch, jeden z najwybitniejszych warszawskich rzeźbiarzy w okresie rokoka.
Ponieważ przy rozbudowie Zamku zlikwidowano dawne budynki gospodarcze na dziedzińcu kuchennym, trzeba było gdzie indziej zlokalizować pomieszczenia służbowe i pomocnicze. W latach 1748–1750 wzniesiono więc u podnóża skarpy nad Wisłą Wielką Oficynę liczącą sto dziewięćdziesiąt pięć metrów długości. Był to budynek piętrowy, obejmujący mieszkania służby zamkowej i składy. Na parterze fasadę oficyny dzieliło trzydzieści sześć ślepych arkad. Jej mieszkańcy przechodzili do Zamku dwiema krytymi drewnianymi galeriami. Wielka Oficyna jest doskonale widoczna na Panoramie Warszawy Canaletta z 1770 roku. W początkach XIX wieku pokrył ją wielki arkadowy taras Kubickiego, za którym zachowały się do dzisiaj pozostałości budynku osiemnastowiecznego.
Kiedy po śmierci Augusta III przeprowadzono w październiku 1763 roku lustrację gmachu Zamku oraz jego pomieszczeń, wyszło na jaw, iż były zupełnie zaniedbane. Zapisano w lustracji, że: *stan jego okazuje szczupłość pokojów pryncypialnego piętra, w części skrzydła od strony Wisły cokolwiek przyzwoitych, zaledwie na wypadkową rezydencję zdolnych, w innych skrzydłach same przechody i ordynaryjne pomieszczenia po części zrujnowane, też na drugim piętrze, dół zaś same prawie zawierał sklepy, prócz niektórych użytych na kancelarie i archiwa... nikczemność reszty pomieszczeń wskazują na nich lokatorowie samej tylko niższej służby tamże podówczas rozłożeni.* W tym stanie Zamek nie nadawał się na rezydencję królewską.
Gdy w marcu 1764 roku wybór Stanisława Augusta Poniatowskiego na króla można już było uważać za niewątpliwy, okazało się konieczne podjęcie kroków w celu jak najszybszego przygotowania Zamku na siedzibę nowego władcy, który nie posiadał innej rezydencji w Warszawie (Sasi dysponowali własnym pałacem). Toteż Sejm Konwokacyjny postanowił kontynuować prace, które pod rządami Augusta III wlokły się latami, co powodowało, że wnętrza zamkowe były nie do użytku. Między innymi przebudowę Sali Poselskiej prowadził już od dłuższego czasu architekt Jakub Fontana. Jemu też powierzono realizację uchwały sejmowej. Już w marcu 1764 roku Stanisław August Poniatowski wysłał do Paryża warszawskiego kupca Czempińskiego ze zleceniem zakupów i zamówień dla Zamku. Troska Stanisława Augusta o wygląd Zamku wypływała nie tylko z potrzeb użytkowych, lecz także z jego upodobań artystycznych i zapowiadała przyszły królewski mecenat, który dla kultury polskiej miał mieć tak doniosłe znaczenie. Stanisław August był człowiekiem bardzo wszechstronnym, interesował się sztuką starożytną i sztuką włoską, literaturą i ustrojem Anglii, teatrem; najściślej jednak od młodości związany był z kulturą francuską. Tym się tłumaczy przybycie w pierwszych latach panowania na dwór Stanisława Augusta trzech wybitnych artystów francuskich.
Na wiosnę 1765 roku przyjechał malarz-dekorator Jean Pillement, który w Zamku

Królewskim wykonywał dekoracje ścienne w stylu rokokowym, z motywami chińskimi – i po paroletnim pobycie opuścił Warszawę może dlatego, że styl jego prac już nie odpowiadał zmienionym gustom artystycznym. Latem 1765 roku przyjechał na krótko architekt Victor Louis, który w późniejszych latach zyskał we Francji wielką sławę. Miał on tylko zapoznać się z gmachem zamkowym i jego otoczeniem oraz poznać upodobania i życzenia króla, a potem wykonać w Paryżu projekty przebudowy Zamku. W roku 1768 przybył rzeźbiarz Andrzej Le Brun, otrzymał stanowisko pierwszego rzeźbiarza królewskiego i doskonale zasłużył się swymi rzeźbiarskimi dziełami dla Zamku i Łazienek; w Polsce został do śmierci, która nastąpiła w XIX wieku.

17. Wystąpienie Tadeusza Rejtana u progu Sali Poselskiej Zamku Królewskiego na Sejmie Rozbiorowym 1773 r. Obraz namalowany przez Jana Matejkę w 1866 r.

Sprawą najpilniejszą było urządzenie pokoi mieszkalnych króla, toteż od tego rozpoczęto. Już w końcu sierpnia 1764 roku nadeszły drogą lądową i morską z Rouen przez Gdańsk pierwsze transporty. Obicia ścienne zakupił Czempiński w Lyonie. Ich wykaz pozwala zorientować się trochę w wyglądzie kilku sal zamkowych w pierwszych latach panowania króla Stanisława Augusta. Do Sali Audiencyjnej zamówiono adamaszek w trzech kolorach: karmazynowym, zielonym i białym, do Apartamentu Sypialnego – adamaszek karmazynowy, biały i różowy, przygotowany dawniej do jednego z apartamentów króla francuskiego Ludwika XV, do Sali Rycerskiej – lampas z figurami chińskimi i kwiatami, do Sali Jadalnej – adamaszek karmazynowy i biały ze złotą bordiurą, do Gabinetu Pracy –

materię malowaną w gałązki i kwiaty, do Sali Rady – biało-żółte obicia zakupione w Niemczech. Wysłano też z Paryża meble, zwierciadła oraz wyroby złotnika François Thomas Germaniego, a także zegary, wazy na kominki, kandelabry i inne przedmioty dekoracyjne. Obiekty te były wykonane w stylu klasycystycznym, panującym już w tych latach i zwanym stylem Ludwika XVI.
Podobnie jak w początkach panowania Augusta II, i teraz rozwijano wielkie, fantastyczne plany przebudowy Zamku i przekształcenia jego otoczenia. Pierwszy projekt sporządził Fontana w roku 1764, następne – Louis w 1766 roku. Kilkadziesiąt akwarelowych plansz Louisa zachowało się w Gabinecie Rycin Biblioteki Uniwersyteckiej w Warszawie. Co prawda nieliczne tylko projekty Louisa zrealizowano, a i te miały zostać przekształcone w późniejszej przebudowie wnętrz zamkowych za panowania Stanisława Augusta; niemniej zespół projektów Louisa sam w sobie stanowi cenny wkład do dziejów rozwoju myśli architektonicznej nie tylko w Polsce, ale i we Francji. Koncepcje Louisa uwzględniał w swych dalszych projektach wnętrz Fontana, aż do śmierci w 1773 roku.
Intencją Stanisława Augusta było wybudowanie monumentalnego zespołu Sal Sejmowych: Poselskiej i Senatorskiej, które proponowano ulokować jedną blisko drugiej w północno-zachodnim narożniku Zamku, od strony ulicy Świętojańskiej, i na dziedzińcu kuchennym. Sala Senatu miała być kryta kopułą i wspaniale wyposażona w kolumny i rzeźby. Projekt urządzenia wielkiej Sali Teatralnej, Galerii Obrazów i Biblioteki odzwierciedlał idee Wieku Oświecenia i osobiste upodobania króla. Zamek zamierzano oddzielić od miasta przez wyburzenie zabudowania przedniego dziedzińca. Na tym samym miejscu, gdzie dziś znajduje się plac Zamkowy, projektowano, w różnych wersjach, reprezentacyjny plac ujęty w kolumnady, a przekształcać zamierzano cały pobliski zespół architektoniczno-urbanistyczny, z katedrą włącznie. Louis proponował nawet przebicie wielkiej alei przez Stare Miasto w kierunku zachodnim. W późniejszych latach architekt Efraim Szreger rozwinął program zespołu zamkowego w kierunku Krakowskiego Przedmieścia. Jako odpowiednik kolumny Zygmunta III proponował wystawić kolumnę Jana III Sobieskiego, a pośrodku placu, w prześwicie Łuku Triumfalnego, sytuował konny pomnik Stanisława Augusta Poniatowskiego.
W projektach następcy Fontany, architekta Dominika Merliniego, rozsnuwane były różne wersje. W jednej przewidywał nowe wielkie skrzydła Zamku z kolumnadami, wysunięte w stronę Krakowskiego Przedmieścia, w innych burzył część skrzydła zachodniego, tworzył wielki plac przed Zamkiem i projektował wystawienie po drugiej stronie placu wieży identycznej z Wieżą Zygmuntowską. Zamierzano utworzyć na skarpie wielkie tarasy i monumentalne schody ku Wiśle, ale skończyło się na rozwiązaniu znacznie skromniejszym. Nad Wisłą usypano bulwar i przeprowadzono na nim drogę dziesięciometrowej szerokości. Dopiero w początku XIX wieku podjęto na nowo i zrealizowano koncepcję wysuniętą już w roku 1766 przez Louisa, by stworzyć wielką widokową podbudowę bryły zamkowej w panoramie miasta zza Wisły.

Z plansz akwarelowych odczytać można charakter, jaki miały wnętrza sal wykonanych według projektów Louisa i co od niego przejęto. Na planszy z projektem Sali Tronowej widzimy na przykład w dekoracji skrzydeł drzwi motyw skrzyżowanych chorągwi, rzeźbionych w drzewie i złoconych – analogiczny motyw spotkamy później na drzwiach wielkiej Sali Balowej; ornament z monogramem królewskim w laurowym wieńcu powtarza się wielokrotnie; skrzydła drzwi wspaniałej Sypialni Królewskiej zdobione są skrzyżowanymi gałązkami laurowymi – odnajdziemy je w latach późniejszych na drzwiach nowej Sali Tronowej.
Brązy i inne wyroby przemysłu artystycznego projektował w ramach planów Louisa rzeźbiarz-ornamencista Jean Louis Prieur. Nadesłał on królowi kilkadziesiąt projektów akwarelowych, przedstawiających takie obiekty, jak zegary, gerydony, kandelabry, żyrandole, wazy itp. Odpowiadają one doskonale projektom Louisa, a o tym, że przynajmniej niektóre były wykonane, świadczy kilka z zachowanych zamkowych brązów, na przykład świeczniki z orłami z Sali Tronowej lub apliki z Sali Balowej.
W dniu 15 marca 1767 roku wybuchł pożar w południowym skrzydle Zamku. Niespodziewane to wydarzenie zmusiło do natychmiastowej odbudowy tej części gmachu. W roku 1768 między Bramą Grodzką a Wieżą Grodzką Jakub Fontana przebudował w stylu wczesnego klasycyzmu klatkę schodową, Salę Gwardii Mirowskiej i Salę Oficerów Gwardii. Ściany klatki schodowej były rozczłonkowane wiązkami kamiennych jońskich pilastrów i ozdobione dekoracją sztukatorską. Sala Mirowska (od nazwiska Józefa Miera, dowódcy gwardii przybocznej króla, która tu pełniła służbę) miała ściany rozczłonkowane korynckimi pilastrami, między którymi rozmieszczone były girlandy. W stiukowej dekoracji występowały putta wśród panoplió w, gałązki lauru i kwiaty.
W roku 1768 rozpoczął Fontana całkowitą przebudowę Gabinetu Marmurowego, który powstał za czasów Zygmunta III; w okresie Władysława IV został on wyposażony w portrety królów polskich, ale zaniedbany w późniejszych czasach popadł w ruinę. Stanisław August postanowił wskrzesić dzieło swych poprzedników i, zachowując pierwotną koncepcję, nadać mu nowy kształt. Architekturę wnętrza zaprojektował Fontana. Ściany wykładane były różnobarwnym marmurem. U góry, ponad gzymsem drzwi, biegł fryz, na którym umieszczono dwadzieścia dwa portrety królów polskich, owalne i prostokątne, malowane przez Bacciarellego. Nad kominkiem znajdował się wielki portret Stanisława Augusta w całej postaci, w stroju koronacyjnym. Plafon, pędzla Bacciarellego, przedstawiał *Sławę głoszącą czyny polskich monarchów*.
Kartusz z herbami Polski, Litwy i króla, zwieńczony złocistą koroną i podtrzymywany przez alegoryczne kobiece postacie *Pokoju* i *Sprawiedliwości*, wyrzeźbił w marmurze Le Brun.
Gabinet Marmurowy ukończono w 1771 roku, a jego otwarcie uczcił Adam Naruszewicz utworem poetyckim *Na Pokój Marmurowy Portretami Królów Polskich z Rozkazu Najjaśniejszego Króla Stanisława Augusta Nowo Przyozdo-*

18. Sala Senatorska Zamku w czasie uchwalenia Konstytucji 3 maja 1791 r. Akwaforta Józefa Łęskiego wg rys. Jana Piotra Norblina

biony. Oda w dniu dorocznej elekcji Jego Królewskiej Mości ofiarowana roku MDCCLXXI. Widok Gabinetu Marmurowego utrwalony został w pięciu akwarelach wykonanych z całą doskonałością przez architekta Jana Chrystiana Kamsetzera. Ponieważ zachowały się wszystkie istotne elementy Gabinetu - obrazy, rzeźby, nawet konsola i zegar – akwarele Kamsetzera pozwolą ściśle odtworzyć jego architekturę wraz z wyposażeniem. Cyklem portretów królewskich wyprzedził Bacciarelli o przeszło sto lat znany cykl Matejki.

Zamek Królewski był przed dwustu laty areną wydarzeń, które zapisały się trwale w dziejach Polski. U progu panowania Stanisława Augusta Andrzej Zamoyski uzasadniał na Zamku program swej grupy politycznej: *Nie dość na tym ustanowić rządy, ustanowić prawa – trzeba jeszcze uformować ludzi, aby umieli kochać i bronić ojczyzny, prawa stanowić i być posłusznymi.* W debatach na Zamku zrodziła się myśl utworzenia Szkoły Rycerskiej. Tu, na Sejmie Rozbiorowym w roku 1773, protestujący poseł nowogrodzki Tadeusz Rejtan, chcąc powstrzymać ugodowych posłów, padł u progu Sali Poselskiej i wołał rozkrzyżowując ręce: *Zabijcie mnie, zdepczcie, ale nie zabijajcie ojczyzny!* Obraz Matejki przedstawiający Rejtana znajdował się w Zamku przed wojną. Obecnie wystawiony jest w Muzeum Narodowym w Warszawie i powróci na Zamek.

Dnia 14 października 1773 roku na Zamku uchwalił Sejm ustawę powołującą do życia Komisję Edukacji Narodowej Korony Polskiej i Wielkiego Księstwa Litewskiego – pierwszą na świecie państwową, świecką władzę szkolną. Wyrazem mecenatu kulturalnego króla były tak zwane obiady czwartkowe, które odbywały się na Zamku lub czasem w pałacu Na Wyspie w Łazienkach.

Między 1774 a 1785 rokiem, gdy naczelnym architektem królewskim był Dominik Merlini, powstały piękne królewskie apartamenty mieszkalne i apartamenty reprezentacyjne. Podobnie jak wcześniejsze sale Fontany, podobnie jak Łazienki Królewskie, reprezentują one polską odmianę stylu klasycystycznego, słusznie nazwaną *stylem Stanisława Augusta*, bowiem osobisty gust króla w istotny sposób wpływał na twórczość artystów. Wszystko, co wtedy powstało, jest rezultatem wspólnego wysiłku architektów, rzeźbiarzy, malarzy i dekoratorów. Twórczość artystyczna doby Oświecenia zajmuje w dziejach sztuki polskiej chlubną kartę.

W latach 1774–1777 wykonał Merlini Salę Canaletta, Kaplicę, Dawną Salę Audiencyjną, Sypialnię Królewską, Garderobę i Gabinet. Architektura Sali Canaletta, dość skromna, pełnić miała jedynie funkcję obramowania dla zespołu widoków Warszawy, namalowanych przez Bernarda Belotta, zwanego Canalettem. Gęsto pokrywały ściany dwadzieścia dwa widoki Warszawy, powstałe w latach 1770–1780, przedstawiające ulice i place miasta oraz Wilanów. Jako temat swych widoków wybierał Canaletto najbardziej ożywione arterie ówczesnego śródmieścia – na przykład Krakowskie Przedmieście i ulicę Miodową. Najwspanialszym obrazem była wielka panorama namalowana w roku 1770, z widokiem miasta i Zamkiem pośrodku. W Sali wisiał też obraz Canaletta przedstawiający elekcję Stanisława Augusta. Wszystkie te dzieła szczęśliwie ocalały.

W wieży Grodzkiej obok Sali Canaletta urządzono Kaplicę Królewską. Osiem stiukowych kolumn korynckich koloru zielonego, ze złoconymi głowicami i bazami, podtrzymywało kasetonową kopułę ze stu dwudziestoma rozetami. Kolumny wraz z kapitelami zostały przed zburzeniem Zamku wywiezione i są uratowane.

Z Sali Canaletta przechodziło się w trakcie od strony Wisły do Dawnej Sali Audiencyjnej, nazwanej tak dlatego, że przez dłuższy czas była salą tronową Stanisława Augusta. Piękny okrągły plafon Bacciarellego z apoteozą *Geografii, Malarstwa, Kupiectwa, Snycerstwa i Rolnictwa*, z postacią *Geniusza Polskiego* i z postacią *Pokoju*, wskazywał na rozwój nauki, sztuki i gospodarki pod rządami Stanisława Augusta. Odpowiednikiem okrągłego plafonu była piękna posadzka, skomponowana w kole z różnobarwnego drewna. Ściany były wybite amarantowym adamaszkiem, nad drzwiami umieszczono w supraportach malowidła Bacciarellego – alegorie *Męstwa, Mądrości, Religii* i *Sprawiedliwości*. Z tej sali uratowano obrazy Bacciarellego, meble i wyroby przemysłu artystycznego.

Obok Dawnej Sali Audiencyjnej, również w trakcie od strony Wisły, leżała Sypialnia Królewska. Jej pierwotny wygląd odtworzony jest na obrazie Bacciarel-

19. Widok Zamku od Krakowskiego Przedmieścia z XIX w. wg Jana Seydlitza

lego *Posłuchanie młynarza przez Stanisława Augusta;* jest to scena przyjęcia w sypialni na Zamku młynarza z Marymontu i jego żony, którzy udzielili królowi schronienia, gdy 3 listopada 1771 roku został porwany przez konfederatów barskich. Przy leżącym zranionym królu widzimy na obrazie lekarzy i osoby z jego rodziny i otoczenia, między innymi samego Bacciarellego. Po przebudowie Merliniego wygląd Sypialni uległ zmianie. Ściany wyłożono boazeriami z drzewa cisowego, ujmującymi atłas słomkowego koloru. Dwie supraporty Bacciarellego zostały uratowane.

W sąsiedniej Garderobie Królewskiej ustawiono w roku 1927 piękną marmurową antyczną kopię rzymską Praksytelesa *Satyr odpoczywający*. Rzeźba na razie znajduje się w Muzeum Narodowym w Warszawie. Obok Garderoby położony był Gabinet Królewski, zwany też Kancelarią króla. Pokój ten ozdobiono w pierwszych latach panowania Stanisława Augusta ściennymi malowidłami dekoracyjnymi Pillementa, przedstawiającymi sceny chińskie. W okresie Księstwa Warszawskiego wykonano tu na ścianach malowidła arabeskowe, które stanowiły dekorację tego pomieszczenia do czasu ostatniej wojny.

Za wielką fasadą z połowy XVIII wieku od strony Wisły kryło się pięć sal. W ryzalicie południowym mieściła się Sala Tronowa, jedna z najpiękniejszych sal zamkowych. Ściany miała wyłożone rzeźbionymi i złoconymi boazeriami, ujmującymi pola wybite czerwonym adamaszkiem i wypełnione zwierciadłami. W głębi sali, naprzeciw okien, stał tron królewski. Fotel tronowy z herbami Rzeczypospolitej i króla stał pod baldachimem, którego tło i niebo wybite były srebrnymi haftowanymi orłami. Te właśnie orły dnia 10 października 1939 roku osobiście zrywał Hans Frank i rozdawał hitlerowskim dygnitarzom ze swego otoczenia. Na kominku ustawiono cztery marmurowe kopie rzeźb antycznych, wykonane w Rzymie w roku 1785–86, przedstawiające Cezara, Hannibala, Scypiona i Pompejusza. Obok tronu ustawiono przed ostatnią wojną osiemnastowieczne konsolowe stoły z płytami mozaikowymi włoskiej roboty. Na tych konsolach umieszczono w gablotach miecz koronacyjny Stanisława Augusta, jego berło koronacyjne i łańcuch Orderu Orła Białego. Z Sali Tronowej uratowano wszystkie wymienione wyżej przedmioty, ponadto brązowe świeczniki z orłami, skrzydła drzwi zdobionych złoconymi splecionymi gałązkami lauru, duże fragmenty bogato rzeźbionych i złoconych boazerii oraz elementy dekoracyjne. obok Sali Tronowej znajdował się niewielki ośmioboczny Gabinet Konferencyjny. W nim Jan Bogumił Plersch wymalował na złocistym tle arabeskowo-groteskowe dekoracje, wśród których zawieszono sześć portretów osobistości panujących współcześnie ze Stanisławem Augustem: Ludwika XVI, Jerzego III, Katarzyny II, Józefa II, Fryderyka II, papieża Piusa VI i króla Szwecji Gustawa III – ten ostatni pędzla znanego szwedzkiego malarza, Per Kraffta. W Gabinecie stał stolik z okrągłym blatem z sewrskiej porcelany z 1777 roku. Wszystko to uratowano, nawet malowidła ścienne Plerscha wykuto ze ściany i we fragmentach przewieziono do Muzeum Narodowego.

Za Salą Tronową mieściła się Sala Rycerska, jedna z najbardziej reprezentacyjnych w Zamku Królewskim. Była ona – jak Gabinet Marmurowy i Gabinet Konferencyjny – wyrazem historyzmu, który równocześnie tak mocno wypowiedział się w dziełach Adama Naruszewicza, powstałych z inicjatywy i przy poparciu króla. Ściany Sali wypełniało sześć wielkich historycznych obrazów Bacciarellego, a mianowicie: *Kazimierz Wielki słuchający próśb chłopów*, *Nadanie przywilejów Akademii Krakowskiej przez Władysława Jagiełłę*, *Hołd Pruski*, *Unia Lubelska*, *Traktat Chocimski* i *Jan Sobieski pod Wiedniem*. Koncepcja tych obrazów pochodziła od Stanisława Augusta. W supraportach umieszczono portrety sławnych Polaków, wśród nich Kopernika, malowane przez Bacciarellego. Galerii znakomitych Polaków dopełniła seria dwudziestu dwóch brązowych portretów mężów stanu, wodzów, uczonych i poetów, wykonanych przez rzeźbiarzy Le Bruna

i Jakuba Monaldiego. Cztery większe popiersia przedstawiały Jana Zamoyskiego, Pawła Sapiehę, Stefana Czarnieckiego i Stanisława Jabłonowskiego. Marmurowy posąg *Sławy* dłuta Le Bruna i wykonany przez Monaldiego marmurowy posąg *Chronosa*, ostrzem kosy wskazującego godziny na taśmie opasującej kulę nieba usianą gwiazdami, wiązały się z tematyką, której Sala była poświęcona. Całe wyposażenie Sali i wiele detali architektoniczno-rzeźbiarskich uratowano.
Ostatnią z wielkich reprezentacyjnych sal zamkowych była Sala Balowa. Wnętrze jej otaczały pary kolumn korynckich ze złocistego stiuku. We wnęce wejściowej, w supraporcie, umieszczono marmurowy medalion z portretem króla w profilu, otoczony figurami również z białego marmuru, wyobrażającymi *Sprawiedliwość* i *Pokój*. Przy ścianach po obu stronach wejścia ustawiono dwa marmurowe posągi: Stanisława Augusta pod postacią *Apollina*, z lirą i wieńcem laurowym, oraz Katarzyny II pod postacią *Minerwy*. Wszystkie te rzeźby, wykonane przez Le Bruna, jak również skrzydła drzwi, świeczniki, apliki oraz wiele detali uratowano. Niestety, wielki plafon Bacciarellego, o powierzchni stu pięćdziesięciu metrów kwadratowych, przedstawiający *Rozdział czterech żywiołów*, czyli *Jowisza wyprowadzającego świat z chaosu*, spalił się 17 września 1939 roku. Posiadamy jednak, oprócz fotografii, także duże olejne barwne projekty namalowane przez Bacciarellego, które pomogą plafon zrekonstruować.
Sala Jadalna, zwana też Salą Rady, w której odbywały się obiady czwartkowe, nie miała specjalnego wystroju architektonicznego. W okresie międzywojennym wisiały tu cztery obrazy francuskich malarzy, zamówione przez króla w Paryżu i sprowadzone w 1768 roku. W scenach z historii starożytnej przedstawiały one idee wspaniałomyślności, sprawiedliwości, rywalizacji i zgody. *Wstrzemięźliwość Scypiona* była dziełem Josepha Marii Viena.
Ostatnia z sal leżących w trakcie wielkich apartamentów zwana była Kaplicą Saską, bo takie było wtedy jej przeznaczenie. W czasach Stanisława Augusta służyła jako sala koncertowa i teatralna.
W roku 1776 zakupiono i włączono do zespołu zamkowego pałac Pod Blachą.
W oddzielnym skrzydle, wzniesionym w latach 1779–1782 przez Merliniego, mieściła się Biblioteka Królewska. Salę Biblioteczną o długości pięćdziesięciu sześciu metrów, podzieloną dwiema parami jońskich kolumn na trzy części, zdobią stiukowe medaliony, symbolizujące dziedziny wiedzy i sztuki reprezentowane w królewskim księgozbiorze. Sala ta ocalała i została już odrestaurowana.
W ostatnich latach panowania Stanisława Augusta Zamek był świadkiem niezwykle ważnych wydarzeń. W czasie Sejmu Czteroletniego manifestujący mieszczanie przybyli na Sejm w „czarnej procesji" i uzyskali prawa. Dnia 3 maja 1791 roku w Sali Senatu uchwalono Konstytucję, stąd udano się do kościoła św. Jana, aby nową Konstytucję zaprzysiąc; ukazał to wydarzenie Matejko w obrazie, który miał być po odzyskaniu niepodległości przeznaczony do Sali Sejmowej na Zamku. Wola Matejki będzie dopełniona. Akt uchwalenia Konstytucji utrwalili współcześni w rysunkach i sztychach, a malarz Kazimierz Wojniakowski – w dużym olejnym

obrazie. Bardzo to znamienne, że na rysunkach oraz malowidłach król jest prawie niewidoczny na dalekim planie; artystom chodziło o tłum, o masę ludzką, wszystkie stany, arbitrów, posłów, senatorów i dopiero wśród nich o króla, i tym dali dobitne świadectwo, że uchwalenie Konstytucji odczuwano jako akt ogólnonarodowy.

Po trzecim rozbiorze Zamek opustoszał. Zapisano w tamtych latach w wielu pozycjach inwentarza: *Znikło po wyjeździe Prusaków.* Gdy Napoleon w grudniu 1806 i w styczniu 1807 roku zamieszkał na Zamku, trzeba było do urządzonego dla niego apartamentu pożyczyć meble z prywatnych pałaców. Po utworzeniu Księstwa Warszawskiego Zamek stał się rezydencją króla saskiego i księcia warszawskiego Fryderyka Augusta. Dokonano wtedy niewielkich przeróbek. Między innymi ozdobiono malowidłami arabeskowymi ściany pokojów od dziedzińca, przy Sali Tronowej, zwanych Żółtym i Zielonym, gdzie Stanisław August miał pokój jadalny.

Po utworzeniu Królestwa Kongresowego w 1815 roku odnowiono obie Sale Sejmowe, modernizując ich wnętrza. Z polecenia Wielkiego Księcia Konstantego dawną Kaplicę Saską przerobiono na Kaplicę Prawosławną. W tej kaplicy odbył się w 1820 roku ślub Wielkiego Księcia z Joanną Grudzińską. W latach 1817 i 1818

20. Widok Zamku z wiaduktu Pancera przed 1939 r.

rozebrano zabudowania dziedzińca przedniego oraz dawną Bramę Krakowską. Powstał przed fasadą z Wieżą Zygmuntowską plac Zamkowy. Zrealizowano więc zamysły króla i architektów stanisławowskich, ale ograniczono się tylko do rozbiórek, nie podejmując próby ukształtowania placu Zamkowego według projektów architekta Jakuba Kubickiego. Kubicki spełnił jeszcze z dawna wysuwane zadanie – wykonał mianowicie w latach 1818–1820 wielki arkadowy taras ze schodami u skraju skarpy wiślanej. Na podzamczu założono nad Wisłą park, który w roku 1856 przerobiono na plac ćwiczeń i zbudowano koszary przybocznego oddziału namiestnika cesarskiego, później rosyjskich generał-gubernatorów.
W dniu 25 stycznia 1831 roku, gdy na placu Zamkowym lud manifestował na cześć dekabrystów, w Izbie Poselskiej na Zamku detronizowano Mikołaja I jako króla polskiego. Dnia 2 kwietnia 1831 roku wprowadzono do Warszawy jeńców i sztandary, zdobyte w bitwach pod Wawrem i Dębem Wielkiem. Pięć chorągwi rosyjskich złożono uroczyście na Zamku Królewskim.
Po upadku powstania listopadowego na Zamku zamieszkał carski namiestnik – zajadły wróg Polski, feldmarszałek Iwan Paskiewicz. Rozpoczął on systematyczną dewastację Zamku. W roku 1832 wywieziono do Petersburga obrazy Canaletta, a w roku 1835 na polecenie Paskiewicza ze ścian Gabinetu z portretami królów polskich wydarto marmury. Z rozkazu tegoż Paskiewicza podzielono na dwie kondygnacje Salę Senatu, upamiętnioną uchwaleniem Konstytucji 3 maja, i urządzono tu mieszkania dla carskich urzędników; Salę Poselską przerobiono na pomieszczenia biurowe. W połowie XIX wieku elewacje Zamku – z wyjątkiem barokowej od strony Wisły – zostały niefortunnie przerobione.
Dnia 27 lutego 1861 roku w czasie manifestacji ludu warszawskiego padło na placu Zamkowym od salw karabinowych pięciu manifestantów, co wstrząsnęło całym społeczeństwem polskim. W starciu ludności z wojskiem 8 kwietnia 1861 roku zginęło na placu Zamkowym ponad sto osób spośród robotników i biednej ludności Warszawy.
W roku 1915 Niemcy zajęli Zamek na biura niemieckiego generał-gubernatora. Towarzystwo Opieki nad Zabytkami Przeszłości roztoczyło wówczas nad Zamkiem opiekę.
Po odzyskaniu niepodległości Rada Ministrów powzięła 19 lutego 1920 roku uchwałę, na mocy której Zamek Królewski, pałac Pod Blachą, Łazienki, Belweder, Wawel i Spała stały się gmachami reprezentacyjnymi Rzeczypospolitej Polskiej. Po roku 1926 Zamek został siedzibą Prezydenta Rzeczypospolitej. Prace konserwatorskie podjęte w 1918 roku doprowadziły do przywrócenia dawnego wyglądu apartamentom stanisławowskim i komnatom renesansowym oraz do odrestaurowania całego Zamku. Przywrócono też pierwotny wygląd Sali Senatu usuwając wbudowany strop i ścianki, ale nie zakończono do wybuchu ostatniej wojny jej wewnętrznego urządzania.
Wyposażenia apartamentów stanisławowskich można było dokonać dzięki Związkowi Radzieckiemu, który zwrócił dzieła sztuki i pamiątki historyczne wywiezione

21. Zamek i kolumna Zygmunta III w 1938 r.

ongiś przez władze carskie. Zwrócone przez Związek Radziecki arrasy jagiellońskie, które od początku XVII wieku do trzeciego rozbioru znajdowały się w Warszawie, zdecydowano przekazać na Wawel; zachowano jednak kilka z nich do dekoracji Zamku warszawskiego. Włączono do zbiorów zamkowych reprezentacyjny portret Stefana Czarnieckiego, malowany w roku 1659 przez duńskiego malarza Brodero Matthisena, zakupiony dla Zamku w Berlinie. Z pałacu Tyszkiewiczów w Landwarowie nabyto ozdobne drzwi, które pochodziły z pałacu Govona pod Turynem, należącego do książąt Torlonia. Dopełniono urządzenia, między innymi komnat renesansowych, zakupami mebli i dzieł sztuki. Zamek odzyskał dawną świetność. Historyczne sale zamkowe do chwili wybuchu wojny były dostępne dla zwiedzających. Odbywały się tu także uroczystości państwowe.
Dnia 17 września 1939 roku Niemcy zaczęli obrzucać Zamek pociskami zapalającymi. Tegoż dnia zapadł się w pożarze dach nad wielką Salą Balową i spłonął plafon Bacciarellego. Pracownicy Muzeum Narodowego i Zarządu Miejskiego przy pomocy setek mieszkańców Starego Miasta ratowali Zamek i przechowywane w nim dobra kultury aż do chwili kapitulacji Warszawy. Na rozkaz Hitlera Zamek dewastowano i grabiono w październiku, listopadzie i grudniu 1939 r. W murach parterowych, od zewnątrz i od wewnątrz, saperzy niemieccy wyborowali 10 000 otworów na ładunki dynamitowe. Ogołocone mury Zamku wysadzili Niemcy w powietrze dopiero po powstaniu warszawskim.
Pomimo rabunku i zniszczeń pozostało z Zamku Królewskiego w Warszawie tak wiele, że możliwa była jego pełna rekonstrukcja. W terenie zachowały się gotyckie piwnice, Brama Grodzka, Wieża Grodzka, odrestaurowana już Biblioteka Królewska, pałac Pod Blachą, mury od strony skarpy wiślanej i tarasy na skarpie.
Po wojnie dominował nad terenem zamkowym zrąb muru w pełnej wysokości. Otwór pierwszego piętra – to było okno Gabinetu Konferencyjnego przy Sali Tronowej, otwór drugiego piętra – to okno pokoju, w którym mieszkał, pracował i w 1925 roku umarł Stefan Żeromski.
Posiadamy nie tylko przedwojenne plany architektoniczne i trzy tysiące fotografii, ale też kilka tysięcy fragmentów architektonicznych i rzeźbiarskich, przeszło trzysta uratowanych obrazów, ponad sześćdziesiąt rzeźb, szesnaście kominków, setki mebli, dzieł sztuki zdobniczej i pamiątek historycznych. Dzięki temu Zamek nie tylko można było odbudować z całą dokładnością według dawnego stanu, ale też jest on w znacznym stopniu autentyczny.

22. *Widok w stronę Zamku z Mariensztatu przed 1939 r., z lewej kościół bernardynów św. Anny*

Odbudowa Zamku Królewskiego

Aleksander Gieysztor

Myśl o odbudowie Zamku wysunięto po wyzwoleniu, gdy podjęto się odtworzenia Starego i Nowego Miasta wraz z innymi najcenniejszymi zespołami zabytkowymi Warszawy. Podniesienie Zamku Królewskiego z gruzów od początku było sprawą społeczną. Restytucja jego murów wykraczała poza konserwację ocalałych fragmentów. Rozumiano to przedsięwzięcie od początku jako obowiązek narodowy. Zniszczony z premedytacją, jako symbol państwowości i kultury polskiej, Zamek odrodzić się miał jako świadectwo ich pełnej żywotności.

Do prac przygotowawczych przystąpiono już w 1945 roku, mając na uwadze nie tylko walory ideowe i artystyczne Zamku, ale też fakt ocalenia licznych fragmentów, wyposażenia oraz obfitą dokumentację architektoniczną, ikonograficzną i fotograficzną. Wykorzystano także doświadczenie i pamięć wybitnych znawców Zamku. W 1946 roku pracownia architektoniczna Jana Dąbrowskiego rozpoczęła staranne studia projektowe. Obszar zamkowy w rok później częściowo oczyszczono, ratując wszelkie szczątki rzeźby w kamieniu, wydobywając niekiedy też ułomki boazerii. Sygnałem rozpoczęcia dzieła była odbudowa, z wykorzystaniem ocalonych bloków kamiennych, Bramy Grodzkiej; odbudowano też pałac Pod Blachą. Dnia 2 lipca 1949 roku Sejm wezwał Rząd do dźwignięcia z ruin Zamku. Powstał następny projekt, nie liczący się jednak z wymogami konserwatorskimi: wysuwano pomysły umieszczenia tu nowoczesnej architektury. Rychło obalono je na rzecz pełnego nawrotu do założeń restytucji. Kolejny szkic odbudowy opracowano pod kierunkiem Jana Zachwatowicza w zespole oddanych sprawie Zamku i kompetentnych architektów. Napisano też, pod redakcją Stanisława Lorentza, towarzyszącą temu projektowi mongrafię, która pozostała w maszynopisie. Prowadzono prace terenowe z udziałem archeologów. Nadal wydobywano pod troskliwą opieką Aleksandra Króla autentyczne szczątki zamkowe. Jednak, mimo powołania kolejnej pracowni pod kierunkiem Jana Bogusławskiego, z wolna nad losami Zamku zapadała cisza. W 1964 roku uporządkowano jego obszar, jako swoiście pojętą trwałą ruinę. W 1965 roku zakończono konserwację odkrytej podziemnej sali pod ogrodem koło Biblioteki Królewskiej, w 1966 roku odbudowano Bibliotekę, wreszcie odbudowano na mieszkania Dwór Mały (Pl. Zamkowy 8) oraz malarnię Bacciarellego z przeznaczeniem na Pałac Ślubów. W kręgu historyków sztuki i architektów nie zapomniano o pracach badawczych. O odbudowę wołał mimo wielu przeszkód Stanisław Lorentz.

Dzień 20 stycznia 1971 roku przyniósł pomyślną decyzję, oddaną do urzeczywistnienia w ręce społeczne. Zawiązał się Obywatelski Komitet Odbudowy Zamku Królewskiego w Warszawie. Skierowano apel do Polaków w kraju i na obczyźnie: wyrażając wolę odtworzenia Zamku i pewność, że *stanie się jak był w ciągu wieków minionych pomnikiem łączącym przeszłe, współczesne i przyszłe pokolenia Polaków, świadectwem ciągłości narodowych dziejów*. Powołano kilka komisji społecznych, a rychło też administracyjny Zarząd Zamku.
Projekt architektoniczny wykonała pod kierunkiem generalnego projektanta Jana Bogusławskiego pracownia architektoniczna Przedsiębiorstwa Państwowego Pracownie Konserwacji Zabytków. Projekt i odbudowę realizowały PKZ we współpracy z wieloma biurami projektowymi i instytucjami z całej Polski. Od 1971 roku głównymi projektantami architektury byli Irena Oborska i Mieczysław Samborski. Wszelkie projekty rozpatrywane były od początku odbudowy przez Komisję Architektoniczno-Konserwatorską Obywatelskiego Komitetu, pracującą pod przewodnictwem Jana Zachwatowicza, prawie aż do Jego zgonu w 1983 roku. Do szczególnie zasłużonych członków Komisji należy zaliczyć architektów: Piotra Biegańskiego, Jacka Cydzika, Jana Dąbrowskiego, Mieczysława Kuzmę.
Prace budowlane poprzedzono wykopaliskami archeologicznymi, dzięki którym poznano zabudowę poprzedzającą powstanie pięcioboku wazowskiego oraz uzyskano wiele cennych zabytków kultury materialnej i artystycznej. W pracach nad odtworzeniem Zamku trzymano się założeń polegających na zachowaniu dawnego obrysu budynku i poziomu jego posadowienia oraz na włączeniu zachowanych elementów murów i dekoracji w odbudowaną bryłę. Zasadę zachowania ocalałych murów zamkowych zastosowano również do fundamentów, które tylko w partiach zbyt zniszczonych wymieniono na nowe. Piwnice pogłębiono i poszerzono, aby pomieścić w nich urządzenia instalacyjne, zapewniając im możliwie wysoki poziom techniczny.
Restytucja murów z zachowaniem wszędzie, gdzie to było możliwe, dawnej techniki murarskiej w cegle przysporzyła trudności, związanych z niewielką liczbą mistrzów znających sposób szalowania sklepień żebrowych nad piwnicami i częścią podziemia. Pokonano te trudności, jak też inne z zakresu rzemiosł zanikających. Zastosowano odtworzoną cegłę gotycką w fasadzie Dworu Wielkiego. Ze źródeł ikonograficznych XVII wieku wiadomo, że w dachu fasady zachodniej wznosiły się w narożach wieżyczki, a pomiędzy nimi znajdowały się cztery lukarny, których nie było w przedwojennym Zamku. Uwzględniono te składniki architektoniczne w projekcie odbudowy.
Dokonano również wyboru jednej ze znanych z ikonografii form zwieńczenia Wieży Grodzkiej: potraktowano ją jako ryzalit południowego skrzydła na równej wysokości z dachem Zamku. Każda z elewacji stwarzała swoiste problemy rekonstrukcyjne, jak sprawa ich wystroju kamieniarsko-rzeźbiarskiego, niegdyś wykonanego w trudno dostępnych obecnie dolomitach i rzadkich piaskowcach – trzeba było uruchomić nieczynny od dawna kamieniołom koło Szydłowca.

Restytucja stanu sprzed 1939 roku, dokonana na podstawie zachowanych fragmentów wyposażenia i dokumentacji naukowej, dotyczy głównie sal stanisławowskich na pierwszym piętrze oraz przyziemia jagiellońskiego i wazowskiego. Odbudowa pomieszczeń o dawnych proporcjach, podziałach i formach z modyfikacjami wystroju objęła natomiast nie istniejący przed wojną w swej pierwotnej, wazowskiej formie Pokój Marmurowy oraz Pokoje Zielony, Żółty i Pokoje księcia Stanisława, których wystrój z XVIII wieku nie istniał przed katastrofą Zamku. Dotyczy to także Sal Sejmowych w skrzydle zachodnim, gdzie zachowane projekty saskie pozwoliły, aby Sala Senatorska otrzymała wystrój bliski temu, w jakim widziano ją w czasie uchwalania Konstytucji 3 maja.
Zgodnie z zapowiedzią, budynek w stanie surowym oddano w 1974 roku, prowadząc w następnych latach żmudne prace nad jego wystrojem zewnętrznym i wewnętrznym. W 1984 roku osiągnięto gotowość wnętrz do urządzenia muzealnego z wyjątkiem sali Asamblowej i do przyjmowania zwiedzających w blisko stu pomieszczeniach. W realizacji zasłużyła się wielka rzesza pracowników różnych specjalności budowlanych, a także rzemieślników i artystów plastyków, konserwatorów, historyków i historyków sztuki. Odrodzono niektóre gałęzie rękodzieła artystycznego.
Przywrócenie Zamku do życia stało się możliwe dzięki ofiarności setek tysięcy Polaków, którzy odpowiedzieli na wezwanie Obywatelskiego Komitetu Odbudowy. Zebrano od roku 1971 blisko 1 miliard złotych i około 820 tysięcy dolarów. Pozwoliło to pokryć koszty odbudowy bez sięgania do państwowych środków budżetowych. Napływają dalsze wpłaty niezbędne do zakończenia dzieła restytucji. Obok kwot pieniężnych przekazywanych przez Polaków w kraju i za granicą oraz przez obcych przyjaciół Zamku, należy podnieść walor ogromnego wkładu pracy obywateli, zakładów pracy i szkół w pierwszej fazie odbudowy. W czynie społecznym wykonano wówczas prace oszacowane na kwotę 36 milionów złotych. Zespół kilkunastu rencistów warszawskich od początku odbudowy wspomaga ją prowadząc zapisy wpłat, zbierając bibliografię i dokumentację. Trzeba wspomnieć o wielu cennych darach rzeczowych, także dziełach sztuki przekazywanych Zamkowi przez ofiarodawców indywidualnych, instytucje krajowe i zagraniczne, jak również przez rządy państw obcych. Liczba darów przekracza 7000 przedmiotów; do ofiarodawców należy ponad 700 obywateli polskich w kraju, 74 instytucje krajowe, 120 ofiarodawców z zagranicy (głównie Polaków) oraz 11 instytucji zagranicznych i 13 rządów państw obcych.
Pośród darów, niekiedy bardzo wysokiej jakości, złożonych do zbiorów zamkowych, trzeba wspomnieć, że pisarz Ludwik Hieronim Morstin zapisał w testamencie na Zamek w 1967 roku portret Jana Andrzeja Morstina, podskarbiego wielkiego koronnego i poety, pędzla Hyacinthe Rigaud, przekazany przez rodzinę po ogłoszeniu decyzji odbudowy. Pośród ofiarodawców obcych znajdują się: Związek Radziecki m.in. z arrasem z serii jagiellońskiej, Niemiecka Republika Demokratyczna ze zbiorem saskich mebli i obrazów oraz dalekowschodniej

23. *Zamek w 1941 r.*

porcelany z XVIII wieku, Niemiecka Republika Federalna z kolekcją około pięćdziesięciu dzieł sztuki z wieków XVI–XVIII; rządy Francji, Szwecji, Wielkiej Brytanii, Austrii, Holandii z cennymi przedmiotami artystycznymi przyczyniły się także do uświetnienia wnętrz zamkowych. Wystawa *Nabytki Zamku Królewskiego, wybór darów i zakupów z lat 1971–1982* na 560 m^2 powierzchni pokazała najważniejsze z nich. Dary wzbogacające artystyczne mienie Zamku napływają nadal.

Dziełu odtworzenia Zamku w obrysie jego gmachu głównego patronuje Obywatelski Komitet Odbudowy Zamku Królewskiego w Warszawie w składzie poszerzonym w 1981 roku. Z ramienia Komitetu działało kuratorium przygotowujące program urządzenia wnętrz pod przewodnictwem Stanisława Lorentza. U schyłku 1980 roku powstała Dyrekcja Zamku Królewskiego, której zadaniem jest pełne urządzenie muzealne, gromadzenie zbiorów artystycznych i dokumentacji, prace badawcze oraz upowszechnianie wartości chronionych w Zamku, kierowanie dalszymi pracami rekonstrukcyjnymi i konserwatorskimi, także na bezpośrednim obrzeżu zamkowym.

Odbudowany Zamek Królewski w Warszawie, pomnik historii i kultury narodowej, przemawia głosem wiernego świadka. Przywracaniu do nowego życia bryły

24. Zamek w 1945 r.

architektonicznej Zamku i jego wystroju, przygotowaniu jego licznych pomieszczeń na przyjęcie mienia artystycznego i wprowadzeniu go do życia kulturalnego Polski współczesnej towarzyszyły prace nad programem wyposażenia jego wnętrz. Przyjęta do wykonania decyzja, czym ma być odbudowany Zamek, zasadza się po pierwsze na restytucji jego formy architektonicznej, a po drugie na odtworzeniu jego ideowych treści. Osiągnąć to można za cenę możliwie starannego urządzenia wnętrza zamkowego jako wielkiego ciągu dawnych pomieszczeń reprezentacyjnych, urzędowych i mieszkalnych. Przedstawiają one odtworzone na podstawie źródeł historycznych funkcje Zamku Króla Jegomości i Rzeczypospolitej, jak brzmiała jego dawna nazwa, przy użyciu zachowanych i uzupełnionych składników wyposażenia.

Powstało okazałe muzeum wnętrz zamkowych pomyślane tak, aby uszanować i wydobyć tradycję ich dawnego użytkownika. Tworząc niektóre ciągi sal zadbano, dla uzupełnienia tradycji przerwanej lub tylko częściowo poświadczonej, aby wystawione tam dzieła malarskie, rzeźbiarskie i zdobnicze wchodziły do zasadniczego programu ideowego. Jest nim nauczanie i wychowanie w polskiej tradycji historycznej i kulturalnej, a także pokazywanie jej miejsca w kulturze światowej. Obok swej muzealnej funkcji przechowywania, konserwowania i udostępniania

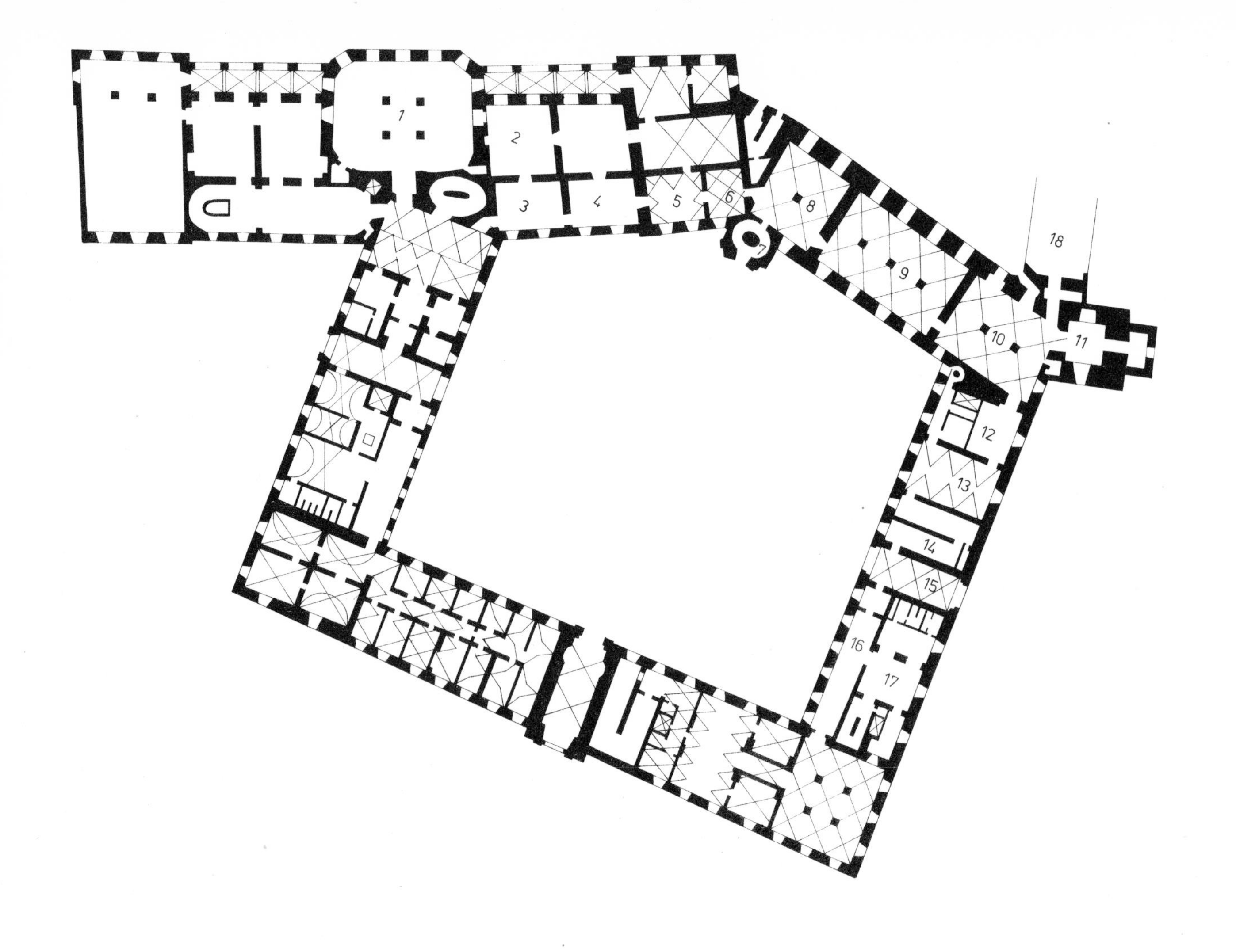

dzieł sztuki dawnej, obok kształtowania odniesień artystycznych i wrażliwości estetycznej, wnętrza zamkowe mają pełnić także inną służbę. Wynika ona z tradycji suwerenności państwowej tego miejsca – a więc funkcje państwowe i społeczne. Trzeba też wprowadzić tu życie kulturalne w drodze manifestacji artystycznych, społecznych i naukowych wysokiej rangi.

Obok ekspozycji stałej Zamek urządza wystawy czasowe jak (w roku 1982/1983) wspomniany pokaz darów i zakupów dzieł sztuki, jak pokaz *Zamek w Powstaniu Warszawskim*. W 1983 roku przez trzy miesiące trwała wystawa *Rzeczpospolita w dobie Jana III*, urządzona przy współudziale Archiwum Głównego Akt Dawnych i Biblioteki Narodowej. Latem zaś i wczesną jesienią 1984 roku – pokaz w Bibliotece Królewskiej *Ustawy zasadnicze państwa polskiego*, we współpracy z Naczelną Dyrekcją Archiwów Państwowych, a w szczególności z Archiwum Głównym Akt Dawnych i Archiwum Akt Nowych. W roku 1985 pokazano *Zamość wczoraj, dziś, jutro*, a w 125-lecie urodzin Ignacego Jana Paderewskiego urządzono wystawę poświęconą pamięci tego artysty i męża stanu.

Urządzenie Zamku wymaga wykorzystania znacznego zasobu zabytków, a także uzupełnień rekonstrukcyjnych, które wyważone co do liczby, wzoru i wykonania, umożliwiają funkcjonowanie Zamku jako muzeum wnętrz i jako miejsce recepcji.

25. Plan Zamku – parter: 1 – Skarbiec, 2 – Sień ku Wiśle, 3 – Komnata Pierwsza, 4 – Komnata Wtóra, 5 – Komnata Trzecia, 6 – Sień Panien Dwornych, 7 – Wieża Władysławowska, 8 – Izba Jednosłupowa, 9 – Dawna Izba Poselska, 10 – Dawna Sień Poselska lub Izba Dwusłupowa, 11 – Izba w Wieży Grodzkiej, 12 – Sień Oficerów, 13 – Dawna Kordegarda, 14 – Klatka Schodowa Mirowska, 15 – Brama Grodzka, 16 – Ganek Grodzki, 17 – Szatnia Grodzka, 18 – Biblioteka Królewska

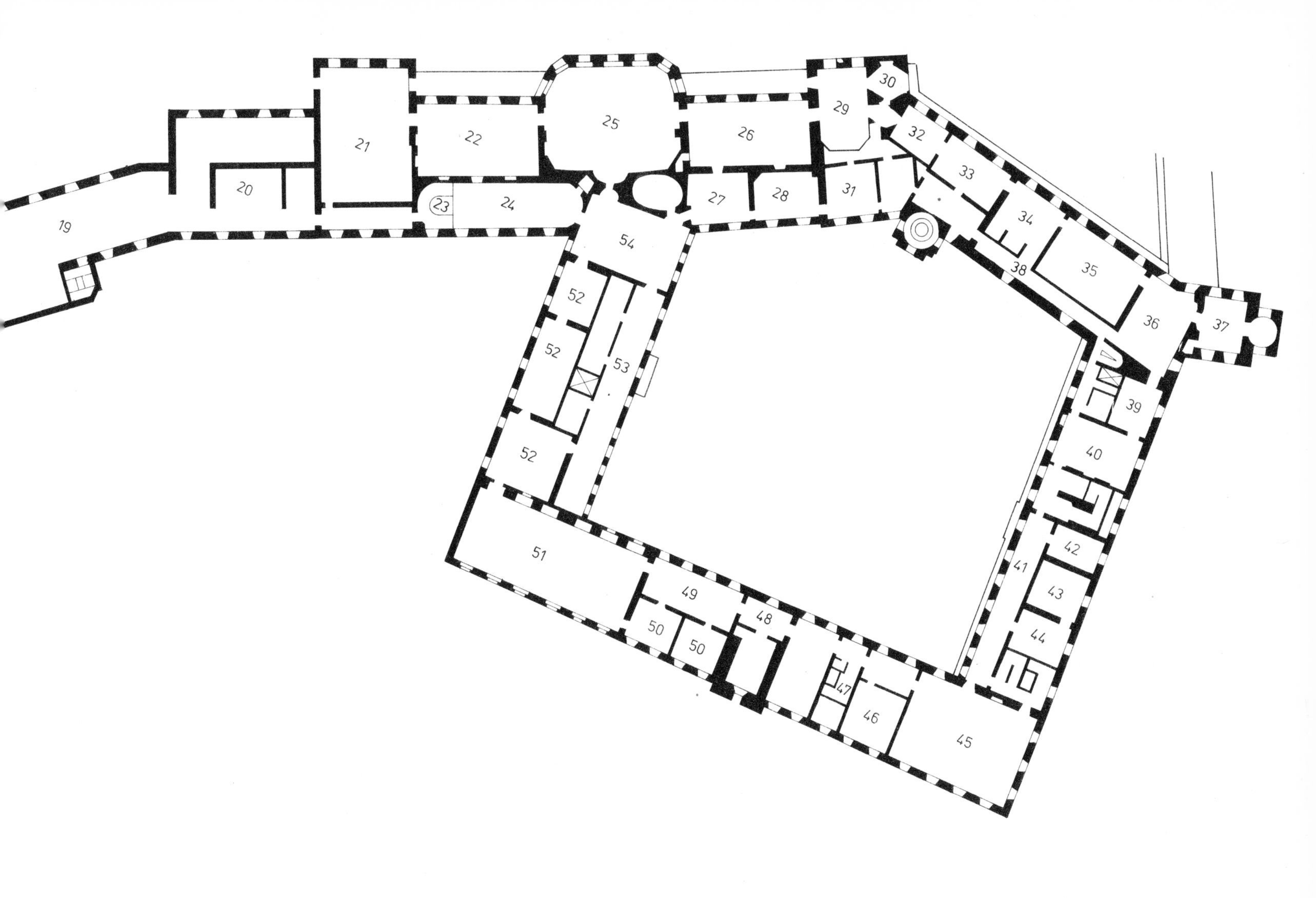

26. Plan Zamku – piętro: 19 – Galeria SPAF, 20 – Pałac Ślubów, 21 – Sala Koncertowa, 22 – Sala Rady, 23 – schody, 24 – Galeria Owalna, 25 – Sala Asamblowa, 26 – Sala Rycerska, 27 – Pokój Marmurowy, 28 – Pokój Żółty, 29 – Sala Tronowa, 30 – Gabinet Konferencyjny, 31 – Pokój Zielony, 32 – Gabinet do Pisania Króla Jegomości, 33 – Garderoba Jego Królewskiej Mości, 34 – Pokój Sypialny Jego Królewskiej Mości, 35 – Pokój Audiencjonalny Dawny, 36 – Przedpokój Senatorski czyli Sala Canaletta, 37 – Sanktuarium (Kaplica), 38 – Korytarz Czerwony, 39 – Przedpokój Oficerski, 40 – Sala Gwardii Konnej Koronnej, 41 – Galeria Czterech Pór Roku, 42 – Apartament Księcia Stanisława – Gabinet, 43 – Apartament Księcia Stanisława – Pokój Towarzyski, 44 – Apartament Księcia Stanisława – Antyszambra, 45 – Nowa Izba Poselska, 46 – Pokój Wstępowy do Nowej Izby Poselskiej, 47 – Przedsionek, 48 – Mała Galeria Warty, 49 – Galeria Warty, 50 – Pokoje Marszałkowskie, 51 – Sala Senatorska, 52 – Pokoje Królewiczowskie, 53 – Galeria Królewiczowska, 54 – Przedpokój Wielkiej Sali Asamblowej

Podstawowy i przeważający liczebnie trzon wyposażenia to dzieła sztuki dawnej. Pochodzą one z przedwojennego Zamku, zwłaszcza w przypadku apartamentów stanisławowskich. Następną częścią urządzenia stały się rewindykacje mienia zamkowego, utraconego czasem bardzo wcześnie, a teraz powróconego z darów lub zakupów. Kolejną partię tworzą inne nabytki, podarowane lub zakupione, obejmujące zarówno rzeczy polskie i Polski dotyczące, jak i inne godne Zamku. Bardzo znaczna grupa przedmiotów pochodzi z kolekcji Muzeum Narodowego w Warszawie. Inne muzea polskie także przyczyniły się do tego dzieła. Zamek nadal oczekuje na każdy gest dobrej woli, aby wzbogacić swoje zasoby w drodze darów, depozytów i zakupów.

W nawiązaniu do świetnego poprzednika i starszego pomnika naszej kultury, do Wawelu, powstała w Zamku i rośnie jedna z najokazalszych w kraju ekspozycji zabytków malarstwa, rzeźby i sztuki zdobniczej. W skali porównawczej wpisuje się ona na listę do muzeów – rezydencji europejskich, stając w ich rzędzie jako polskie muzeum narodowe wnętrz zamkowych.

Z odtworzonych sal Zamku Królewskiego w Warszawie, nosiciela naszej tożsamości kulturalnej, znów promieniuje majestat dawnej Rzeczypospolitej, jej państwowości i kultury, świadcząc o wielowiekowych dziejach narodu. Do dzieła

27. *Orzeł polski z XVIII w.*

restytucji Zamku i podjętej przezeń nowej służby, do wkładanego w tę wielką sprawę wysiłku społecznego odnieść godzi się słowa Zygmunta Augusta zawarte w jego testamencie z 1572 roku: *Te wszystkie legata na jedną Rzeczpospolitą, ale tylko ku pospolitej potrzebie, nie ku czyjej inszej, i ku ozdobie potocznej, potrzebnej a uczciwej, oddajemy i odkazujemy.*

Spis ilustracji kolorowych

80. Sień ku Wiśle w Zamku Królewskim. Szafa barokowa. Holandia 2 poł. XVII w. Wilki kominkowe, Flandria 1 poł. XVII w. Martwa natura nad kominkiem – mal. Cornelius Norbertus Gysbrechts, 1659 r.
81. Komnata Główna w Zamku Królewskim, widok ogólny
82. Komnata Główna w Zamku Królewskim
83. Komnata Główna w Zamku Królewskim. Ława cassapanca, Włochy 2. poł. XVI w. Portret Anny Jagiellonki, mal. polski 2. poł. XVI w.
84. Komnata Główna w Zamku Królewskim. Sepet typu vargueño, Hiszpania (?) 1. poł. XVIII w. Podstawa pod sepet, Hiszpania (?) XVII w. Portret Bony Sforzy, mal. polski 2. poł. XVI w.
85. Sień Ciemna w Zamku Królewskim. Dwie ławy przyścienne, Florencja 2. poł. XVI w. W Sionce Skośnej – skrzynia, Niemcy ok. 1600 r.
86. Izba Jednosłupowa z Dawnych Komnat Poselskich Zamku Królewskiego. Szafa-archiwum, Florencja ok. poł. XVI w. Obraz przedstawia drzewo genealogiczne Piastów legnicko-brzeskich, mal. śląski po 1707 r.
87. Dawna Izba Poselska w Zamku Królewskim. Gobelin-werdiura „Walka zwierząt", Flandria 2. poł. XVI w. Karło, Włochy XVI/XVII w.
88. Dawna Sień Poselska w Zamku Królewskim. Dwa arrasy z serii „Polowania i zabawy ogrodowe", Flandria, Audenarde, koniec XVI w. Fotele z obiciami o motywach roślinnych, Francja ok. 1650 r.
89. Dawna Sień Poselska z Izby w Wieży Grodzkiej w Zamku Królewskim
90. Dawna Sień Poselska w Zamku Królewskim, fragment wnętrza
91. Izba w Wieży Grodzkiej w Zamku Królewskim. Portrety: Zygmunta Augusta i Arcyksięcia Karola Habsburga, teścia Zygmunta III
92. Izba w Wieży Grodzkiej Zamku Królewskiego. Portret Jana Kazimierza, mal. Peter Denckers de Rij 1635–1648
93. Sień Oficerów lub Izba Średnia w Zamku Królewskim. Gobelin „Kwiaty w wazonach", Holandia poł. XVII w. Stół, Włochy koniec XVI w. Portret nad kominkiem – królewicz Zygmunt Kazimierz Waza, mal. polski 1. poł. XVII w.
94. Fragment gobelinu z Sieni Oficerów w Zamku Królewskim, Holandia poł. XVII w.
95. Portret Stefana Czarnieckiego, mal. Brodero Matthisen, 1659 r.
96. Dawna Kordegarda w Zamku Królewskim. Świecznik korpusowy, brąz złocony, XVII w.
97. Werdiura z młynem wodnym, Francja, Aubusson, 1. poł. XVII w.
98. Popiersie Anny Austriaczki, żony Ludwika XIII, króla Francji od 1615 r., rzeźbiarza Gilles Guerin, 1635–1640
99. Sala Koncertowa w Zamku Królewskim. Posąg „Apolla" André Le Bruna, po 1778 r.
100. Sala Rady w Zamku Królewskim
101. Galeria Owalna w Zamku Królewskim. Z lewej – popiersie Giovanniego Pesaro, rzeźbiarz Giustro Le Court, Włochy 2. poł. XVII w.; z prawej – popiersie papieża Innocentego XIII, rzeźbiarz Pietro Bracci, po 1724 r.
102. Portret Stanisława Augusta, mal. Marcello Bacciarelli
103. Sala Rycerska w Zamku Królewskim
104. Sala Rycerska w Zamku Królewskim, obraz z lewej – „Unia lubelska" Marcella Bacciarellego, ok. 1785 r.
105. „Chronos" w Sali Rycerskiej Zamku Królewskiego, rzeźbiarz Jakub Monaldi, 1784–1786
106. Posąg „Sławy" w Sali Rycerskiej Zamku Królewskiego, rzeźbiarz André Le Brun, ok. 1770 r.
107. Supraporta w Sali Rycerskiej Zamku Królewskiego – portret Jana Karola Chodkiewicza, mal. Marcello Bacciarelli, 1782 r.
108. Pokój Marmurowy w Zamku Królewskim
109. Pokój Marmurowy w Zamku Królewskim, widok ogólny
110. Pokój Marmurowy w Zamku Królewskim, fragment
111. Portret Stefana Batorego z Gabinetu Marmurowego Zamku Królewskiego, mal. Marcello Bacciarelli
112. Pokój Marmurowy w Zamku Królewskim. Portret Stanisława Augusta, mal. Marcello Bacciarelli
113. Plafon Marcellego Bacciarellego w Zamku Królewskim w Warszawie, przedstawiający „Sławę głoszącą czyny polskich monarchów", zrekonstruowany przez Jana Karczewskiego i Stefana Garwatowskiego
114. Sala Tronowa w Zamku Królewskim
115. Sala Tronowa w Zamku Królewskim, fragment autentycznej listwy
116. Fotel tronowy Stanisława Augusta według projektu Jana Chrystiana Kamsetzera, Polska 2. poł. XVIII w.
117. Sala Tronowa albo Sala Audiencjonalna Nowa w Zamku Królewskim
118. Blat stołu konsolowego w Sali Tronowej Zamku Królewskiego, zdobiony techniką mozaikową, proj. Peter Wenzel, wyk. Pompeo Savini (?), Włochy 1780 r.
119. Gabinet Konferencyjny obok Sali Tronowej w Zamku Królewskim
120. Podłoga w Gabinecie Konferencyjnym w Zamku Królewskim
121. Gabinet Konferencyjny w Zamku Królewskim. Portret Katarzyny II, mal. Antoni Albertrandi, 2. poł. XVIII w. Portret męski – Fryderyk II, mal. Friedrich Lohrmann, 2. poł. XVIII w.
122. Porcelanowy blat stolika z Gabinetu Konferencyjnego w Zamku Królewskim, sygnowany „Dodin", Sevrés, Francja 1777 r.
123. „Sprawiedliwość", mal. Jan Bogumił Plersch, fragment dekoracji Gabinetu Konferencyjnego w Zamku Królewskim
124. Gabinet Króla Jegomości do Pisania w Zamku Królewskim
125. Gabinet Króla Jegomości do Pisania w Zamku Królewskim, Biurko, tzw. bureau plat, sygnowane przez ebenistę Davida Roentgera, ok. 1780 r.

126. Garderoba Jego Królewskiej Mości w Zamku Królewskim. Szafa biblioteczna w typie angielskim, Polska XVIII/XIX w. Fotele w typie Ludwika XVI, Śląsk poł. XIX w.
127. Garderoba Jego Królewskiej Mości w Zamku Królewskim
128. Garderoba Jego Królewskiej Mości w Zamku Królewskim. Martwa natura Vanitas, mal. flamandzki Christian Luyck, Antwerpia, ok. poł. XVII w.
129. Garderoba Jego Królewskiej Mości w Zamku Królewskim. Zegar szafkowy holenderski, sygnowany Hendrik Schoobeek, Amsterdam, ok. 1740 r.
130. Pokój Sypialny Jego Królewskiej Mości w Zamku Królewskim
131. Pokój Sypialny Jego Królewskiej Mości w Zamku Królewskim. Fotele z obiciami gobelinowymi ze scenami z bajek La Fontaine'a, Francja ok. 1750 r. Na kominku waza z alabastru, Francja, koniec XVIII w. Portret młodzieńca w zbroi, mal. flamandzki (?) 1. poł. XVIII w.
132. Pokój Sypialny Jego Królewskiej Mości w Zamku Królewskim. Komoda sygnowana „Lapié", Francja, Paryż poł. XVIII w. Trzy wazony z tzw. garnituru myśliwskiego, wykonane dla Augusta II w Miśni ok. 1730 r.
133. Pokój Audiencjonalny Dawny w Zamku Królewskim. Kominek z końca XVIII w.
134. Pokój Audiencjonalny Dawny w Zamku Królewskim
135. Pokój Audiencjonalny Dawny w Zamku Królewskim. Zegar proj. Jean-Louis Prieur, zegarmistrz Gugenmus, Polska, Warszawa przed 1777 r.
136. Pokój Audiencjonalny Dawny w Zamku Królewskim
137. Pokój Audiencjonalny Dawny w Zamku Królewskim. Plafon Marcella Bacciarellego, przedstawiający alegorię sztuk, nauk, rolnictwa i handlu pod panowaniem pokoju, przywrócił Janusz Strzałecki (1902–1983), począwszy od 1975 r.
138. Przedpokój Senatorski, czyli Sala Canaletta, w Zamku Królewskim
139. Sala Canaletta w Zamku Królewskim. Podłoga odtworzona na podstawie zachowanych fragmentów
140. Sanktuarium w Zamku Królewskim
141. Sanktuarium w Zamku Królewskim. „Madonna z Dzieciątkiem", warsztat Petera Paula Rubensa, 1577–1640
142. Kopuła w Sanktuarium w Zamku Królewskim
143. Przedpokój Pierwszy albo Oficerski w Zamku Królewskim
144. Apartament księcia Stanisława w Zamku Królewskim – Antyszambra
145. Antyszambra w Apartamencie księcia Stanisława w Zamku Królewskim. Jeden z sześciu gobelinów z kwiatami i rajskimi ptakami, Francja, Aubusson 1. poł. XIX w.
146. Antyszambra w Apartamencie księcia Stanisława w Zamku Królewskim, fragment
147. Apartament księcia Stanisława w Zamku Królewskim – Pokój Towarzyski. Stół okrągły, Francja, koniec XVIII w.
148. Pokój Towarzyski w Apartamencie księcia Stanisława w Zamku Królewskim, fragment
149. Apartament księcia Stanisława w Zamku Królewskim – Gabinet
150. Gabinet w Apartamencie księcia Stanisława w Zamku Królewskim. Zegar ścienny, tzw. cartel. Na tarczy – sygnatura zegarmistrza Causarda, na oprawie – B. Lieutauda, Paryż ok. 1750 r.
151. Gabinet w Apartamencie księcia Stanisława w Zamku Królewskim. Portret Ludwika XVII, delfina Francji, mal. Aleksander Kucharski ok. 1792 r.
152. Gabinet w Apartamencie księcia Stanisława w Zamku Królewskim. Żeliwna płyta kominkowa z cyfrą Stanisława Leszczyńskiego. Wilk kominkowy z herbem królewskim Stanisława Leszczyńskiego, brąz złocony, Francja ok. 1750 r.
153. Gabinet w Apartamencie księcia Stanisława w Zamku Królewskim. Maria Leszczyńska jako Junona, brąz złocony, rzeźbiarz Guillaume Coustou, 1731 r.
154. „Upadek moralny ludzkości przed potopem" wg kartonu Michiela van Coxcie, Flandria, Bruksela 1548–1553. Gobelin z Zamku Królewskiego
155. Gabinet w Apartamencie księcia Stanisława w Zamku Królewskim. Portret Marii Józefy, córki elektora saskiego Fryderyka Augusta, mal. Louis-Michel van Loo, ok. 1750 r.
156. Nowa Izba Poselska w Zamku Królewskim. „Porwanie Prozerpiny przez Plutona", rzeźbiarz François Girardon, Francja lata 90. XVII w.
157. Nowa Izba Poselska w Zamku Królewskim. Posążek konny Augusta II, Francja ok. 1830 r.
158. Sala Senatorska lub Sala Konstytucji 3 maja w Zamku Królewskim
159. Sala Senatorska w Zamku Królewskim

ZESTAWIENIE AUTORÓW FOTOGRAFII

Archiwum Instytutu Sztuki Polskiej Akademii Nauk: 3; Archiwum Wydawnictwa „Arkady": 2, 5, 6, 12, 24; K. Jabłoński: 29–94, 96–101, 103–110, 112–121, 124–159 oraz fotografie na obwolucie; A. Matysiak: 1, 13, 14, 15, 27; Cz. Olszewski: 11, 22; A. Pietrzak: 19; H. Poddębski: 20, 21; S. Proszowski: 23; B. Rogaliński: 95, 102, 111, 122, 123; H. Romanowski: 16, 17; L. Sempoliński: 10; B. Seredyńska: 18; S. Sobkowicz: 4; W. Stasiak: 28; H. Śmigacz: 8, 9; W. Wolny: 7

Dekoracje kwiatowe zdobiące sale Zamku Królewskiego – projekt i wykonanie – mgr Hanna Bogucka i mgr Marta Jankowska.

Plac Zamkowy
Plac Zamkowy

36

39

Cukiernia
46

43

46

47▷

it

56

◁59 60 61

71

90

92

93

95

97

101

102

CASTI DUM VITA MANEBAT
QUIQUE PI VATES ET

DIGNA LOCUTI
INVENTAS
AUT

UM VITA MANEBAT
QUIQUE
VATES ET

MART. CROMERUS
✝ MDLXXXIX.

EBO
DIG
JOA.CARO.HODKIEWICZ
✝MDCXXI

◁106 107

108

SIGISMUNDUS I
VIII
✝ MDXL
ALEXANDER I
✝ MDVI
IOHANNES ALBERTUS
CASIMIRUS JAGIELLONIDES
✝ MCCCCXCII
VLADISLAUS VARNENSIS

AB ANNO
D.L.
BOLESLAUS
CHRABRY
PRIMUS·REX
✠ MXXV.
AD ANNUM
MCCCV
AUGUSTUS II
AUGUSTUS III
✠ MDC XCVI.

A.D. DELIN. IOAN. CHR. KAMSETZER 1784
STEPH. GARWATOWSKI & IOAN. KARCZEWSKI 1982 PINX.
VENCESLAUS BOHEMUS
VLADISLAUS LOCTIUS
CASIMIRUS MAGNUS
✠ MCCCV
✠ MCCCXXX
✠ MCC CLXX.

111

◁109 110

REGUM · MEM
DICAVIT
STANISLAUS · AUG
CE MONUMENTUM
ANNO DN
MDCCLXXI
LUDOVICUS
HUNGARUS

ANNA
LES
REGUM

122

Serpentarius
HERCVLES
SERPEN
SCORPIO

135

SERCE
TADEUSZA
KOSCIUSZKI

LOUIS XVII
par KUCHARSKI

153

OB IPIORV GIGATV ET TIRANORV MALA EXEMPLA
ET VIOLETIAS DEVS MINATVR EXITIV MVNDO

154

156

LUBLINENSIS